SpringerWienNewYork

Elisabeth Frottier / Gerald Bast (Hg.)

W. F. Adlmüller

Mode —
Inszenierungen +
Impulse

Springer Wien New York

Inhalt

Adlmüller als Modeschöpfer

Adlmüller als Professor

Adlmüller als Mäzen

Besonderer Dank gilt

Heinz P. Adamek (der die Anregung zu diesem Projekt gegeben hat),
Inge Appel, Hilde Bartosch, Andreas Bergbaur, Christina Berger,
Susanne Bisovsky, Felix Brachetka (Archiv Volksoper Wien), Martina Dax,
Astrid Deigner, departure, Doris Drochter, Iris Eibelwimmer, Hermann Fankhauser,
Ernst Feichtl, Filip Fiska, Angela Fössl, Ines Freistätter, Elfriede Friedrich,
Traute Ganter, Ursula Greinmann, Christiane Gruber, Markus Guschelbauer,
Elke Handel, Markus Hausleitner, Silvia Herkt, Margitta Hübler, Louise D. Kiesling,
Franziska Kluger, Helene Korber, Manfred Kostal, Kurier (Archiv/Fotoredaktion),
Barbara Langbein, Valerie Lange, Edeltraud Leh, Trude Lesigang, Filia Manikas,
Christina Mayer, Christa Mödler, Priska Morger, Robert Müller, Elisabeth
Noever-Ginthör, Ilse Pace, Ute Ploier, Die Presse (Bildarchiv), Danijel Radic,
Thomas Römer, Helga Schania, Sergej Schmid, Susanne Schobersberger
(Kurier/Fotoredaktion), Anja Seipenbusch-Hufschmied, Gerhard Sokol,
Willi Sramek, Iris Staudecker, Isabelle Steger, Christina Steiner, Stickatelier
Hohldampf–Neuwirth, Martin Sulzbacher, Christoph Thun-Hohenstein,
Lotte Tobisch-Labotýn, Angela Völker, Reinhard Vogel (Kurier/Fotoredaktion),
Andrea Weidler (Wiener Models), Markus Wiesner, Blanda Winter, Wei Wei Xu,
Doris Zaiser und allen Autorinnen und Autoren

Gerald Bast

Fred Adlmüller

Eine Ausstellung über das Wirken einer Persönlichkeit zwischen den Polen bürgerlich-staatstragender Repräsentationslust, jugendlicher Innovationsfreude und dem Wunsch, der Leidenschaft für die Mode eine Zukunft zu geben

Mode ist auf den ersten Blick ein überaus vergängliches Medium. Nicht ohne Grund wurde der Begriff ›Mode‹ zu einem in unterschiedlichen Kontexten gebrauchten Synonym für Schnell- und Kurzlebigkeit. Und dennoch erkennen wir bei genauerer Betrachtung, dass Modedesign sich trotz aller Innovationskraft – vielleicht auch gerade deswegen – immer wieder aus sich selbst, aus den Archetypen ihrer eigenen Geschichte neu erfindet. Die Kostüm- und Modesammlung der Universität für angewandte Kunst ist bis heute für unsere Studierenden und nicht selten auch für AbsolventInnen des Modedesign-Studiums eine reichhaltige Quelle der Inspiration, eine Möglichkeit, sich an der Geschichte sowohl zu orientieren als auch sich an ihr zu reiben und zu messen – was wohl zu den Grundprinzipien universitärer Lehre, Forschung und Entwicklung zählt.

Zum Anlass des hundertsten Geburtstags von Fred Adlmüller wagt die Universität für angewandte Kunst, an der Prof. Adlmüller von 1973 bis 1979 die Modeklasse leitete und mit der er über seinen Tod hinaus durch eine Stipendien-Stiftung verbunden blieb, eine Ausstellung der besonderen Art, eine Ausstellung, die den unterschiedlichen Facetten und Wirkungsebenen Fred Adlmüllers gerecht zu werden versucht, obwohl dies in ihrer zeitlichen und inhaltlichen Polarität ein eben gewagtes Vorhaben ist: Aus Beständen der Kostüm- und Modesammlung der Universität für angewandte Kunst und mit zahlreichen Leihgaben wird Fred Adlmüller in mehrfacher, auf den ersten Blick vielleicht oft auch widersprüchlich erscheinender Hinsicht Tribut gezollt – als Couturier, Hochschullehrer und Nachwuchsförderer.

Die Ausstellung erinnert an den Couturier, den ›Modezaren‹ Fred Adlmüller, dem zwar die große Anerkennung auf der internationalen Ebene der Modewelt versagt blieb, der in Österreich aber über viele Jahrzehnte prägenden Einfluss auf das Modegeschehen hatte, eine Institution der ›Wiener Gesellschaft‹ war, eine nicht ausschließlich auf Bekleidung beschränkte Marke ›typisch österreichischen Lebensstils‹, oszillierend zwischen historisch reminiszierender förmlicher Eleganz und unbekümmerter Leichtigkeit.

Es ist nur wenig bekannt, dass Fred Adlmüller gemeinsam mit Helmut Lang auch die *U-Mode* im Wiener U4 jurierte, dies zeigt aber exemplarisch das grundsätzliche Interesse Adlmüllers am Phänomen Mode jenseits des wohl nicht zuletzt ökonomisch begründeten Interesses an der modischen Inszenierung der nicht nur, aber vornehmlich österreichischen Wirtschafts-, Gesellschafts- und Polit-Elite. Die Arbeiten von Studierenden aus der Modeklasse der Universität für angewandte Kunst unter der Leitung von Fred Adlmüller demonstrieren eindrucksvoll das Interesse Adlmüllers an Innovation, an der steten Neuerfindung von Mode mit dem Blick auf die Geschichte und Gegenwart und das alles unter dem Prinzipat der handwerklichen Exzellenz.

Dass die Arbeit mit jungen Menschen, die sich ebenso wie er der Leidenschaft für das Entwerfen und Weiterentwickeln von Mode verschrieben haben, ein für ihn wichtiger Teil seines Lebens war – ja mehr noch, dass er glaubte, damit nachhaltig etwas bewirken zu können –, bewies Fred Adlmüller schließlich mit seiner testamentarischen Verfügung zur Errichtung einer Stipendien-Stiftung für besonders hervorragende Studierende der Universität für angewandte Kunst. Es war daher nur logisch, in dieser Ausstellung auch die mit dem Fred-Adlmüller-Stipendium ausgezeichneten Studierenden der Modeklasse mit ihren Arbeiten zu präsentieren und damit das vielfältige Bild der Person Fred Adlmüllers, seines Werks und seines bis heute andauernden Wirkens im Dienste der Leidenschaft für die Mode abzurunden.

Dr. Gerald Bast, Rektor der Universität für angewandte Kunst Wien
Wien, im Jänner 2009

Patrick Werkner

Die Kostüm- und Modesammlung der ›Angewandten‹

Bereits seit den Anfangsjahren der 1867 gegründeten Kunstgewerbeschule wurde ein Fundus von historischen Kostümen angelegt, der den Studierenden zum Zeichnen und Malen von historisch ›richtig‹ inszenierten Bildern diente. Die ›Costümmalerei‹ war ja in der Zeit des Historismus ein wichtiger Teil der künstlerischen Ausbildung. Für Alfred Roller, der von 1909 bis 1934 Direktor der Kunstgewerbeschule war, hatten Kleidung und Kostüm eine besondere Rolle in der Ausbildung. Er hielt von 1912/13 bis 1933/34 (mit Unterbrechungen) einen Sonderkurs mit dem Titel *Vom Sinn der Kleidung*. Die Kostümsammlung und der Unterricht in Kostümkunde wurden an unserem Haus während des 20. Jahrhunderts immer wieder modifiziert. Besondere Bedeutung hat die Ära von Elli Rolf, die in ihrer vier Jahrzehnte währenden Lehrtätigkeit ein kostümkundliches Ordnungssystem entwickelte. Sie war zuletzt Professorin und Leiterin einer ›Meisterklasse für Bühnenkostüm mit angeschlossenem Institut für allgemeine Kostümkunde‹ (bis 1983). Die Geschichte der ›Sammlung Kostüm und Mode‹ wurde 2004 im Rahmen einer Master-Thesis dokumentiert und zukunftsweisende Perspektiven darin entwickelt, die sukzessive umgesetzt werden.[1]

Gesammelt wurden im Haus allerdings auch andere Beispiele aus dem Bereich der angewandten Kunst. Seit den 1980er Jahren wurde unter dem Rektorat von Oswald Oberhuber konsequent Sammeltätigkeit für die damalige Hochschule für angewandte Kunst betrieben. Nach und nach entwickelte sich das Hochschularchiv unter der Leitung von Erika Patka zu einer Universitätssammlung, in der bildende und angewandte Kunst, Nachlässe, Bibliophiles, Architekturmodelle etc. für universitätsinterne und öffentliche Forschungstätigkeit zusammengeführt wurden. Zahlreiche Ausstellungen wurden in diesem Zusammenhang veranstaltet.

Auch der Bestand der Kostüm- und Modesammlung wurde in Präsentationen vorgestellt,[2] angereichert um Leihgaben und meist begleitet von der wissenschaftlichen Aufarbeitung in Ausstellungskatalogen.

Unter Rektor Gerald Bast wurde 2004 mit den ›Sammlungen‹ eine neue, größere Organisationsstruktur geschaffen, zu der seither auch die Kostüm- und Modesammlung gehört. Die ›Sammlungen‹ mit ihren rund 60.000 Objekten umfassen nunmehr den Bestand an Kunstobjekten unserer Universität, das Oskar-Kokoschka-Zentrum, Archivalien und eben auch die Kostüm- und Modesammlung mit ihrem wertvollen, über 5.500 Objekte umfassenden Bestand.

Die Falte, hgg. v. Institut
für Kostümkunde, Hochschule für
angewandte Kunst Wien, Wien 1987

Gerda Buxbaum, Die Hüte der Adele
List, hgg. v. Institut für Kostümkunde,
Hochschule für angewandte Kunst
Wien, München-New York-Wien 1995

Annemarie Bönsch, Wiener Couture –
Gertrud Höchsmann 1902–1990,
hgg. v. Historischen Museum der Stadt
Wien und der Universität für angewandte
Kunst Wien, Wien-Köln-Weimar 2002

Elisabeth Frottier, Die Sammlung
Kostüm und Mode an der Universität
für angewandte Kunst Wien.
Geschichte – Dokumentation –
Perspektiven, Master-Thesis Uni-
versitätslehrgang ECM, Wien 2004

Die Kunsthistorikerin Dr. Elisabeth Frottier, MAS leitet seit 2005
die Kostüm- und Modesammlung, Carmen Bock und Doris Drochter
bilden mit ihr gemeinsam das Team, unterstützt von Prof. Dr. Annemarie Bönsch als Konsulentin (ehemals Leiterin der Kostüm- und
Modesammlung, als diese noch ›Abteilung für Kostümkunde‹ hieß).

2006 übersiedelte die Kostüm- und Modesammlung aus der
bisherigen, sehr beengten Raumsituation im sogenannten Schwanzer-
trakt des Hauptgebäudes in die nahe gelegenen Räume in der
Dominikanerbastei 5. Die Übersiedlung bedeutete einen wahren
Kraftakt, umfasste sie das Verpacken und Transportieren Tausender
von Objekten, die seither neu systematisiert wurden bzw. werden.
Seit 2004 wird der Objektbestand sukzessive in die elektronische
Datenverwaltung der Sammlungen aufgenommen, die Silvia Herkt
und Elke Handel im damaligen Hochschularchiv seit den 1990er
Jahren aufgebaut hatten. Mittlerweile stehen der Forschung Zig-
tausende von elektronischen Daten und eingescannten Abbildungen
zu allen Sammlungsbereichen in einer lokalen – derzeit 68.200
Datensätzen umfassenden – Datenbank (Stand Dezember 2008)
zur Verfügung.

Die in diesem Katalog dokumentierte Ausstellung schließt
an frühere Präsentationen der Kostüm- und Modesammlung an
und bildet zugleich den Auftakt zu einer neuen Ausstellungsreihe.
Für 2009/10 ist ein Forschungsprojekt mit entsprechender Präsentation in Vorbereitung, und für 2012 ist mit dem ECM-Lehrgang
unserer Universität eine Ausstellung vorgesehen, die repräsentative
Beispiele aus der Kostüm- und Modesammlung vorstellen wird.
Mit diesen Vorhaben ist die Kostüm- und Modesammlung dabei,
sich zunehmend als ein Kompetenzzentrum zu etablieren, das die

1 | Frottier, Elisabeth, Die Sammlung Kostüm und Mode an der Universität für angewandte Kunst Wien. Geschichte – Dokumentation – Perspektiven. Master-Thesis Universitätslehrgang »ECM — Exhibition and Cultural Communication Management« an der Universität für angewandte Kunst Wien, 2004 (unveröff. Typoskript).

2 | Elli Rolf, Wien, 1983 (mit Katalog); List-Hüte, Wien, 1983 (mit Katalog); Mariano Fortuny 1871–1949: Der Magier des textilen Design, Wien 1985 (mit Katalog); Die Falte, Wien 1987 (mit Katalog); Theodor Fahrner – Schmuck, Wien 1991; List-Hüte (Konsul DDr. Norbert Zimmer – Übergabe). Wien 1993; Sakralgewand – Prototypisches, Wien–München–Köln 1994/95 (mit Katalog); Die Hüte der Adele List – Wanderausstellung Budapest–Wien–Hamburg–Chazelles-sur-Lyon 1995–1998 (mit Katalog); Fred Adlmüller, Wien 1999; Wiener Couture – Gertrud Höchsmann 1902–1990, Wien 2002/2003 (mit Katalog); Wiener Bühnen- & Filmausstattung – Otto Niedermoser 1903–1976, Wien 2003 (mit Katalog); Neuerwerbungen der Sammlungen der Universität für angewandte Kunst, Wien 2006.

Sammlungsbestände in Forschung und Lehre in unserem Haus verankert und mit der Ausbildung der Studierenden unserer Modeklasse sowie aller anderen Abteilungen eine fruchtbare Verbindung eingeht.

Die Sammlungen bilden, wie der Entwicklungsplan unserer Universität für die Jahre 2005–2009 definiert, das ›kulturelle Gedächtnis‹ unserer Institution und haben u. a. den Auftrag, jüngste und aktuelle künstlerische Entwicklungen des Hauses zu dokumentieren. Ein Rückblick auf Fred Adlmüller als Modeschöpfer, auf seine Lehrtätigkeit und auf 15 Jahre Adlmüller-Stipendien, wie ihn die Ausstellung und die folgenden Seiten vorführen, ist zugleich ein Blick zurück in 15 Jahre Zukunft, die von den StipendiatInnen mit ihren Projekten imaginiert und in den geschaffenen Arbeiten realisiert wurden.

Patrick Werkner, geboren in Innsbruck 1953. Kunsthistoriker, ao. Univ.-Prof. an der Universität für angewandte Kunst Wien, Leiter der Sammlungen der Universität mit Oskar-Kokoschka-Zentrum. Gastprofessuren: Bard College/New York 1989/90, Stanford University/Kalifornien 1990, Univ. Salzburg 1992, Univ. Freiburg/D 1994/95 (Vertretung), Univ. Leiden/NL 2001. Buchpublikationen (Auswahl): Land Art USA. Von den Ursprüngen zu den Großraumprojekten in der Wüste. München 1992; Oskar Kokoschka. Kunst und Politik, 1937–1950. Wien 2003 (gemeinsam mit Gloria Sultano); Kunst seit 1940. Von Jackson Pollock bis Joseph Beuys (UTB-Lehrbuch). Wien–Köln–Weimar 2007

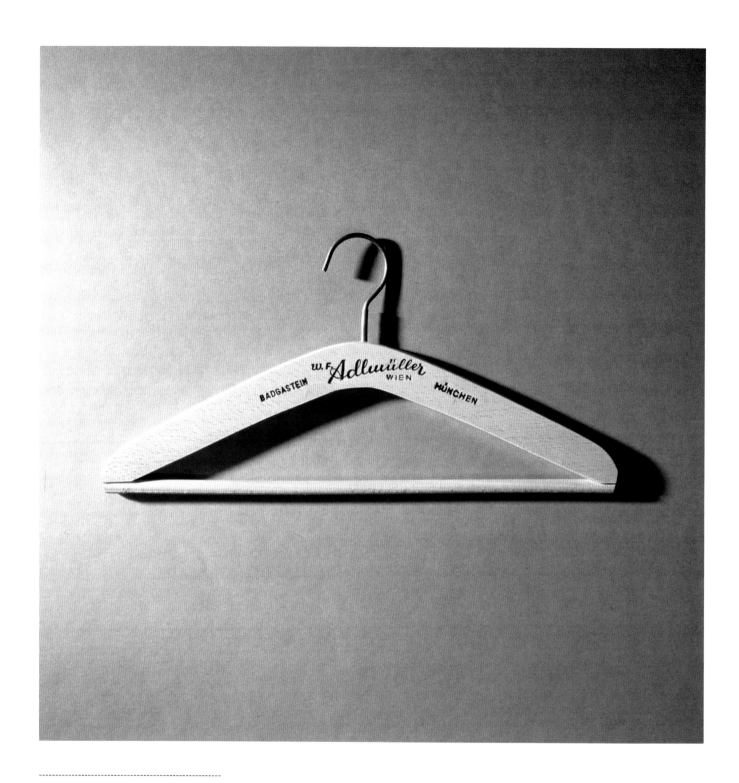

Holzkleiderbügel aus
dem Salon *W. F. Adlmüller*

Elisabeth Frottier

Editorial

Einleitung

Das ›Adlmüller-Stipendium‹ ist längst zum fixen Bestandteil der jährlichen Ausschreibungen der Universität für angewandte Kunst Wien geworden. Vermutlich jede(r) derzeit an der Universität für angewandte Kunst Wien Studierende kennt es. Viele bewerben sich um die begehrte Förderung in der Höhe von derzeit € 5000,–. Die meisten Angehörigen dieser StudentInnengeneration verbinden mit dem Namen *Adlmüller* allerdings nur mehr vage Assoziationen. So meinen mehrere StipendiatInnen, dass sie von Fred Adlmüller als Person überhaupt keine Vorstellung hätten, nicht einmal wüssten, wie er ausgesehen habe, und gerne mehr Informationen über sein Lebenswerk bekommen würden …

Fred Adlmüller wäre am 16. März 2009 100 Jahre alt geworden, 20 Jahre sind seit seinem Tod vergangen, und bereits seit 15 Jahren wird sein Stipendium verliehen. Es existieren also drei zusätzliche Motive, einen Rückblick in Form einer Publikation und einer Ausstellung zu unternehmen. Die Kostüm- und Modesammlung der Universität für angewandte Kunst Wien hat einen besonderen Bezug zu Fred Adlmüller:

> Auf Initiative von Heinz P. Adamek und Erika Patka und in Zusammenarbeit mit der Kostüm- und Modesammlung, fand bereits vor zehn Jahren eine Adlmüller-Personale an der ›Angewandten‹ statt, die auf großes Interesse seitens der Öffentlichkeit und der Medien stieß, zu der aber kein Katalog erschienen war. Einige Fotos der damals ausgestellten Objekte, hauptsächlich Leihgaben, werden in der nunmehr vorliegenden Publikation erstmals veröffentlicht. Im Zusammenhang mit der damaligen Ausstellung kam es zu mehreren Ankäufen bzw. Schenkungen an die Kostüm- und Modesammlung, die den Hauptteil ihres heutigen Adlmüller-Bestandes bilden.

> Der Lebensgefährte des Modeschöpfers, Herbert Schill, stiftete damals Adlmüllers persönlichen Nachlass der Kostüm- und Modesammlung (u. a. Fotos, Briefe, Zeitungsausschnitte, Gegenstände aus seiner Wohnung, Filmmaterial, Urkunden, Dokumente, Orden). Der 489 Objekte umfassende Adlmüller-Nachlass wurde 2003/04 inventarisiert und ist nun für die wissenschaftliche Forschung zugänglich.

> Im Zuge der Vorbereitungen zum jetzigen Adlmüller-Projekt übergab die Modeklasse insgesamt 35 Kleider ehemaliger Adlmüller-

StudentInnen aus den 1970er Jahren an die Kostüm- und Mode-sammlung. Sie sind ein einzigartiges Dokument des Modeschaffens dieser Zeit an der ›Angewandten‹.

> Derzeit besitzt die Kostüm- und Modesammlung 75 Modelle des Wiener Modeschöpfers, zu denen laufend weitere dazu kommen.

> Das Team der Kostüm- und Modesammlung ist durch seine Lehrveranstaltungen und Beratungstätigkeit sowie das Angebot einer eigenen Fachbibliothek im ständigen Dialog mit der Modeklasse. So kam es auch zum persönlichen Kontakt mit den PreisträgerInnen des Adlmüller-Stipendiums aus dem Bereich Mode, deren Mitarbeit ganz wesentlich zum Gelingen dieses Projektes beigetragen hat.

Die Kostüm- und Modesammlung ist Teil der Sammlungen der Universität für angewandte Kunst, die als ›University Museum‹ eine zentrale Dokumentationsstelle des Hauses bilden. Ihr strategisches Ziel ist neben ihren Hauptaufgaben Sammlung – Forschung – Lehre, durch Ausstellungen an die Öffentlichkeit zu treten. Dabei soll der Bogen von historischen zu zeitgenössischen Inhalten und von der Theorie zur Praxis gespannt werden. Das ›Adlmüller-Projekt‹ ist ein Beispiel für diese Zielsetzung. Durch die Einbindung der Studierenden und AbsolventInnen der Modeklasse wollen wir unsere Fokussierung auf diese Zielgruppe demonstrieren: Sie sind diejenigen, die be-sonders von unserer Studiensammlung und der dort praktizierten Form einer ›angewandten Kostümgeschichte‹ profitieren sollen. Unsere Sammlungsobjekte sollen dabei die Basis für ihre aktuellen Entwürfe bilden.

Zur Publikation

Das Konzept von Publikation und Ausstellung nähert sich dem Phänomen ›Adlmüller‹ unter drei Aspekten: Er wird als Modeschöpfer, Professor an der ›Angewandten‹ und Mäzen gezeigt. Auch der Inhalt der vorliegenden Publikation gliedert sich in diese drei Abschnitte. Dazu wurden zahlreiche Fachleute für Beiträge eingeladen, um ein weitgehend authentisches Bild des wohl bekanntesten österreichi-schen Couturiers des 20. Jahrhunderts zu zeichnen. Derzeit ist es noch möglich, Personen, die Fred Adlmüller persönlich gekannt haben, zu kontaktieren. Daher wird bei einigen Katalogbeiträgen, die als Interviews geführt wurden, ganz bewusst das Instrument der ›Oral History‹ eingesetzt.

Adlmüller als Modeschöpfer

Die in München lebende, international tätige Modeexpertin Ingrid
Loschek charakterisiert Adlmüllers Ästhetik als synonym mit der
Stadt, in der er lebte. Sie zeichnet seinen Weg zum Grand Couturier
nach und schildert seine spezifisch ›wienerische‹ Anpassung an
die Weltmode, wobei sie die ›Erneuerung des Vertrauten‹ als ein
wesentliches Motiv für sein Schaffen nennt. Ihrer Einschätzung nach
trug er wesentlich dazu bei, Wien nach 1945 »jenes Flair und jenen
Charme zurück zu geben, für die Wien berühmt war«.

Die Kulturhistorikerin Gloria Sultano dokumentiert die national-
sozialistische Arisierungs- und Enteignungspolitik am Beispiel der
österreichischen Bekleidungs- und Modebranche. Sie beschreibt
Adlmüllers Schlüsselfunktion in der Weiterführung des Salons *Tailors,
Stone & Blyth* durch die Zeit des Nationalsozialismus und des Zweiten Weltkrieges und die Rückstellung von Geschäft und Wohnung an
die aus der Emigration zurückgekehrten ehemaligen Besitzer, Ignaz
und Stefanie Sass.

Als exzellente Kennerin von Salon und Werkstättenbetrieb
W. F. Adlmüller schildert Hilde Bartosch, die als nahe Mitarbeiterin
30 Jahre an der Seite des Couturiers stand, ihre persönlichen Eindrücke und Erinnerungen. Sie begann als begabte Modezeichnerin
und avancierte zur Directrice des Geschäftes. Wie kaum jemand
anderer kannte sie den Modeschöpfer und Geschäftsmann Adlmüller,
mit dem sie täglich zusammenarbeitete und viele Höhen und Tiefen
durchlebte.

Carmen Bock, Textilrestauratorin und Betreuerin der Kostüm-
und Modesammlung der ›Angewandten‹, ist es gelungen, einen
›Blick hinter die Kulissen‹ des Couturesalons *Adlmüller* zu werfen.
Sie beschreibt detailliert die dort praktizierte ›Haute Couture‹,
die auf der mühevollen und perfekten Maß- und Handarbeit der aus-
führenden SchneiderInnen basiert. Noch einmal ist so die Atmosphäre des prominenten Wiener ›Modetempels‹, vor allem aber die
Entstehung der großen Abendroben in kleinen Schritten nachzu-
vollziehen.

Die Kostümhistorikerin und Theaterwissenschafterin Annemarie
Bönsch gibt einen Überblick über das Schaffen Adlmüllers für Bühne
und Film anhand von Fallbeispielen. Dabei werden seine intensiven
Kontakte und Vernetzungen zu SchauspielerInnen und SängerInnen,

1010 WIEN
Kärntnerstrasse 41

Kuvert aus
dem Salon *W. F. Adlmüller*

die meist auch seine PrivatkundInnen waren, sichtbar. Der Beitrag enthält eine komplette Filmografie der Produktionen, an denen Adlmüller mit Kostümen beteiligt war.

Die Historikerin Uta Krammer, die den Adlmüller-Nachlass inventarisiert hat, zieht aufgrund ihres Einblickes in das Leben des Wiener ›Modezaren‹ ein sehr persönliches Resumée und qualifiziert seinen Salon als typische Wiener Institution.

Eine seiner prominentesten KundInnen war Lotte Tobisch. Die langjährige Organisatorin des Wiener Opernballs zählte auch zum Freundeskreis Fred Adlmüllers. Sie charakterisiert ihren Couturier und Freund als einen der letzten Vertreter einer bereits vergangenen Epoche und zugleich weit in die Zukunft vorausblickend.

Adlmüller als Professor an der ›Angewandten‹

Die ehemalige Assistenzprofessorin der Modeklasse, Edeltraud Leh, gab als ›Insiderin‹ im Lehrbetrieb ein Interview über ihre Erfahrungen mit Fred Adlmüller als Professor an der ›Angewandten‹ und schilderte seinen Unterrichtsstil.

Louise D. Kiesling-Ahorner, Adlmüller-Studentin von 1975–1979, verband auch eine private Beziehung mit dem Modedesigner: Sie macht in ihrem Interview die spezifische Atmosphäre der Modeklasse in den 70er Jahren spürbar und beschreibt den von Adlmüllers Persönlichkeit geprägten Anfang ihrer beruflichen Laufbahn als Modedesignerin und -forscherin.

Erstmals werden alle 67 StudentInnen Adlmüllers aufgelistet, von denen einige auch internationale Karrieren im Modebereich machten (wie etwa Otto Drögsler, der bei René Lezard tätig war, Michael Hrdy und Claudia Kühberger).

Adlmüller als Mäzen

Heinz P. Adamek, Universitätsdirektor der ›Angewandten‹ dokumentiert die Entstehung und juristische Grundlage des ›Fred Adlmüller-Stipendiums‹. Er widerlegt damit die Vermutung, Adlmüller hätte die Förderung ausschließlich für die Modeklasse vorgesehen. Dies wäre allein aufgrund der Klassengrößen unlogisch: Bei etwa 30 Studierenden pro Klasse und 6 jährlich vergebenen Stipendien würde dies bedeuten, dass jede(r) 5. Studierende der Modeklasse ›automatisch‹ ein Stipendium erhalten würde. Adlmüllers Intention war sicherlich die Förderung ›besonderer‹ Talente unabhängig von ihrem Studienfach. Die hinzugefügte Satzung belegt die juristischen Rahmenbedingungen der Stipendienstiftung, der abgedruckte Passus des handschriftlichen Testaments Adlmüllers lässt keinen Zweifel am letzten Willen des Mäzens.

Die bekannte Moderedakteurin der Tageszeitung *Kurier*, Brigitte Winkler, die seit 2001 als externes Kommissionsmitglied der Stiftung fungiert, gibt ihre Erfahrungen bei der jährlichen Verleihung des Stipendiums wieder. Sie berichtet von ihren Begegnungen mit dem Wiener Modedesigner, stellt eine Auswahl der bisherigen PreisträgerInnen vor und gibt deren Feedback auf das Stipendium wieder.

Alle 86 bisherigen Fred Adlmüller-Stipendiaten seit 1993 werden in der Publikation erstmals namentlich zusammengefasst und veröffentlicht. Die 22 PreisträgerInnen der Modeklasse werden mit Kurzbiografien und Porträtfotos einzeln vorgestellt. Soweit noch vorhanden wird auch ein Beispiel aus ihren jeweiligen Einreichungen in der Publikation abgebildet.

In einem Interview mit dem Modedesigner und ehemaligen Assistenten der Modeklasse, Andreas Bergbaur, werden Erfolg und Bedeutung Adlmüllers im Hinblick auf die heutige Modeszene umfassend beleuchtet. Bergbaur kommt dabei im Gespräch mit der Herausgeberin zu überraschenden Ergebnissen.

Alison Clarke, Universitätsprofessorin für Theorie und Geschichte des Design an der ›Angewandten‹, geht abschließend der Frage nach der speziellen Position Fred Adlmüllers in der Reihe seiner VorgängerInnen und NachfolgerInnen an der Modeklasse nach.

Das zum Großteil bisher unveröffentlichte Bildmaterial des Katalogs besteht aus historischen Aufnahmen aus dem Adlmüller-Nachlass und den Fotoarchiven der ›Angewandten‹ sowie der Tageszeitung *Kurier*. Der international renommierte Fotograf und bildende Künstler Rudi Molacek, der von 1985–1991 als Gastprofessor das Fotoseminar an der ›Angewandten‹ geleitet hatte, fotografierte Adlmüller-Modelle der Kostüm- und Modesammlung im Aktsaal der ›Angewandten‹. Die von den PreisträgerInnen entworfenen Outfits wurden von ihm an Models fotografiert. Die Ergebnisse dieses Fotoshootings schließen die Publikation ab.

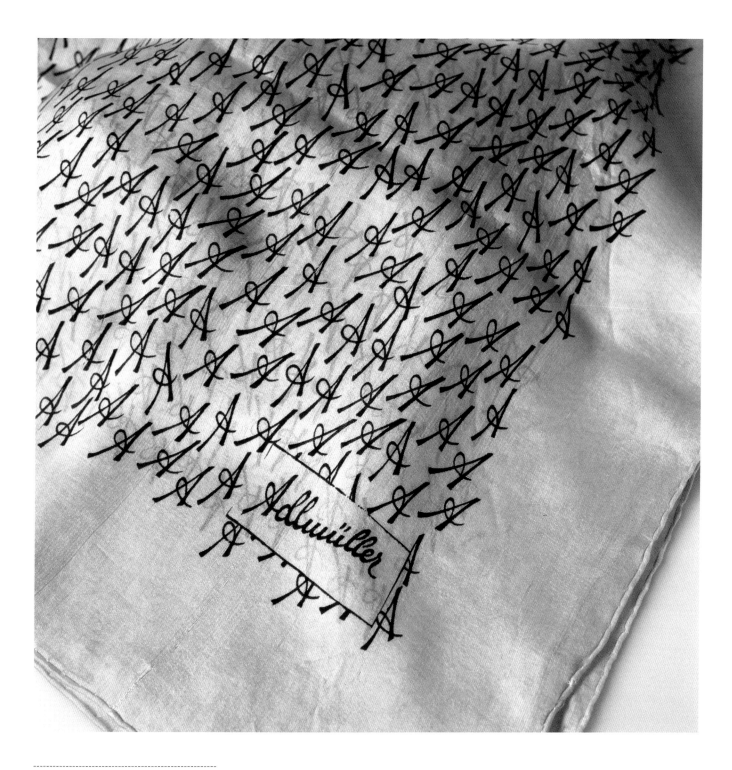

Seidentuch aus
dem Salon *W. F. Adlmüller*

Papiertragtaschen aus
dem Salon *W. F. Adlmüller*

W.F. Adlmüller – Meister der großen Inszenierungen

Fred Adlmüllers Salon war ein Zentrum klassischer Eleganz. Welt-
städtisches Flair umgab stets Entrée und Schaufensterdekorationen
und rief Assoziationen zum Wiener Opernball und zum Publikum des
Wiener Neujahrskonzerts wach. Fred Adlmüller ließ keinen Zweifel
daran, dass seine Entwürfe für die Klientel der Upper Class kon-
zipiert und damit einem elitären Kundenkreis vorbehalten waren.
Er war einer der letzten Vertreter der Haute Couture in Österreich.
Sein Anspruch auf Perfektion und Ausgewogenheit zeigte sich in seinem sehr persönlichen ›Gesamtkunstwerk Mode‹. Er war ein Meister
der großen und sinnlichen Inszenierung. Sein Thema war die Über-
höhung des Alltäglichen. Seine Raffinesse lag im Genuss des Augenblicks und des Schönen. So war es stets sein Ziel, die individuelle
Schönheit der Frauen hervorzuheben, wobei es seine besondere
Fähigkeit war, sich in die Kundinnen einzufühlen. Dabei ging es ihm
nicht darum, radikal und eigenwillig seinen eigenen Stil, seine eigene
Linie zu verfolgen und diese seinen Kundinnen aufzuoktroyieren,
sondern auf deren Wünsche einzugehen.

    Die weibliche Figur war Ausgangspunkt für seine Kreationen,
seine Silhouetten folgten dem natürlichen Vorbild ohne Verfrem-
dungen des Frauenkörpers. Er ging bei seinen Entwürfen kaum ins
Extreme, seine Schnitte folgen einer allgemein gültigen Ästhetik bis
zu einer manchmal banalen Gefälligkeit. Harmonische Silhouetten
und klassische Proportionen, stimmungsvolle Kreationen, die eine
festliche Atmosphäre erzeugen sollten, waren für sein Schaffen –
auch für seine Bühnen- und Filmkostüme – charakteristisch. Er bezeichnete seinen Salon vielsagend auch als »orthopädische Schneiderei«: Untragbare Extravaganzen hatten in seinem Stilrepertoire
keinen Platz, seine Kleider sollten schmeicheln und Figurenprobleme
weitgehend kaschieren. Diese Form der ›Geschmacksintelligenz‹ erreichte stets sein Publikum, das er durch spezielle Farbkombinatio-
nen, edle Materialien und raffinierte Schnittführungen mit Raffungen
und Drapierungen zu gewinnen vermochte. Sein Stil war adaptiert,
angepasst an die Umgebung, an das Ambiente, an den bestimmten
Anlass. Typisch für seine Kreationen war auch eine verspielte, leich-
te, oft fröhliche Note – ein Beispiel dafür sind seine leuchtenden
oder auch pastelligen Farben, das von ihm immer wieder aufgegriffe-

ne Tupfendesign oder verschiedene Blumenmuster. Glanz und Glamour erreichte er mit üppigen Stickereien, oft unter Verwendung von glitzernden Swarowski-Kristallen.

Die bleibende Aktualität und hohe Qualität der von ihm verwendeten Stoffe und Dekorationen ist auch daran erkennbar, dass seine Kleider zum Teil von seinen KundInnen bis heute angezogen werden. Im Second-Hand-Handel sind sie bereits begehrte Sammelobjekte und werden gerne wieder getragen.

Auch sein Geschäft war in einem einheitlichen ›Corporate Design‹ durchgestylt: Vom Briefpapier bis zur Einladung, von der Salon-Ausstattung und seinen berühmten Modeschauen bis zu dem von ihm kreierten *Eau de Vienne*, von der typischen noblen Papiertragtasche bis zum edlen Holzkleiderbügel mit dem eingeprägten Firmenlogo war alles seinem Stil unterworfen.

Seine Begeisterung für Gestaltungen und Inszenierungen äußerte sich ebenso im privaten Bereich, wo der gelernte Koch bei Einladungen gleich große Aufmerksamkeit auf die Tischdekorationen und Menükarten legte, wie in seinem Beruf, wo grandiose Gala-Modeschauen mit anschließenden Diners und Bällen von ihm arrangiert wurden. Das Nachempfinden des barocken Geistes, die typisch österreichische Leichtigkeit in der Art des Feierns waren Adlmüllers Spezialität. Nicht zufällig fand seine letzte spektakuläre Modeschau anlässlich seines 80. Geburtstags im Wiener Schloss Schönbrunn statt.

Auf Fred Adlmüllers Einladungen war neben der Uhrzeit stets das Wort »präcise« vermerkt – und genau diese von ihm gewünschte Präzision war charakteristisch für sein Lebenswerk: Seine konsequente Hingabe an sein Metier, seine Verlässlichkeit, seine Disziplin und Ordnungsliebe, seine menschliche Achtsamkeit und Aufmerksamkeit, seine Gläubigkeit, die sich in täglichen Kirchenbesuchen äußerte, sein Pflichtbewusstsein und sein Fleiß waren sprichwörtlich. Doch es wäre zu wenig, den Wiener Couturier nur mit seinen modischen Inszenierungen, mit seinem geschäftlichen Erfolg, seiner internationalen Prominenz und seinem speziellen und viel zitierten Charisma zu assoziieren, und würde seiner Persönlichkeit nicht entsprechen: Ganz wesentlich war ihm am Ende seines Lebens die Weitergabe seines Wissens und fundierten Könnens …

Eau de Vienne aus
dem Salon *W. F. Adlmüller*

Impulse an der ›Angewandten‹

Als Professor an der damaligen Hochschule, der heutigen Universität
für angewandte Kunst Wien in den Jahren 1973 bis 1979 – Fred
Adlmüller war damals schon Mitte 60 – gab er seine reiche Erfahrung
an seine StudentInnen weiter. Adlmüller nahm diese Berufung sehr
ernst: Er verkaufte seine Dependance in München, bald darauf auch
das Geschäft in Bad Gastein, um sich besser auf seine zusätzliche
Aufgabe als Professor der ›Angewandten‹ konzentrieren zu können.
Er kam jeden Tag in die Modeklasse, um Fragen zu beantworten bzw.
die Arbeiten der Studierenden zu korrigieren. Sie sollten unter seiner
gewissenhaften Anleitung den Schritt von der Theorie zur Praxis
setzen: Er initiierte Projekte mit verschiedenen Auftraggebern aus
dem Bereich der Designindustrie (z.B. Brillen- oder Taschenentwürfe,
Hostessenkostüme für die AUA).

Es kam auch zu Kooperationen mit anderen Abteilungen der
›Angewandten‹: Die Meisterklasse für dekorative Gestaltung und
Textil unter Margarethe Rader-Soulek stellte Stoffdrucke und
-malereien sowie Webereiarbeiten her, die von der Adlmüller-Klasse
zu Kleidungsstücken verarbeitet wurden. Diese SchülerInnenarbei-
ten zeigen klare geometrische Formen – wie etwa aus der Kreisform
entwickelte Modelle – und auffallende, teilweise von der damals
aktuellen *Op Art*, der Botanik oder z.B. der persischen Kalligrafie
inspirierte Muster. Die Meisterklasse für Metallbearbeitung unter
Carl Auböck fertigte Schmuckarbeiten an, die auf die Entwürfe der
Modeklasse abgestimmt waren. Die Ergebnisse dieser Zusammen-
arbeiten wurden in einer Aufsehen erregenden Modeschau im MAK
im Jahr 1977 präsentiert, auf der auch bereits zukunftsweisende
modische Ideen gezeigt wurden, wie etwa Strickleggings oder in
Kassettenform abgesteppte Daunenmäntel. Adlmüller unternahm
mit seinen Studierenden auch Auslandsreisen, wie etwa nach Paris,
um sie mit den berühmten französischen Modeschöpfern in Kontakt
treten und deren Modeschauen besuchen zu lassen.

Dass Fred Adlmüller anlässlich seiner Emeritierung mit 70 Jahren
auf eine Pension der Hochschule verzichtete, wirft ein bezeichnen-
des Licht auf den Idealismus, den er mit seiner Lehrtätigkeit verband.
Visionär, der er war, verfügte er einige Monate vor seinem Tod testamentarisch, den gesamten Erlös aus dem Verkauf seines Geschäftes
als Stiftung der Universität für angewandte Kunst zukommen zu

lassen – ein sensationelles pekuniäres und zugleich ideelles Vermächtnis: Die seit 1993 jährlich stattfindende Vergabe von sechs
Stipendien in der beachtlichen Höhe von insgesamt € 30.000,– wird
der Universität für alle Zukunft – ad infinitum – zur Verfügung stehen. Das ›Adlmüller-Stipendium‹ bedeutet nicht nur die Fortsetzung
seines persönlichen Lebenswerks, sondern auch eine quasi Verle-
bendigung seines Vermögens, indem es an den kreativen Nachwuchs
des Hauses verliehen wird.

Die schon angesprochene Zeitlosigkeit findet sich auch hier:
Es werden jedes Jahr wichtige materielle Impulse für junge KünstlerInnen und DesignerInnen gesetzt, die zu immer neuen Innovatio-
nen – im Sinne des Stifters – führen und ihnen dazu verhelfen
sollen, ihre eigene Karriere konsequent weiterzuverfolgen. Avant-
gardistisch, revolutionär, mutig, unkonventionell, individuell, wild,
dynamisch, explosiv, schrill, schräg, frech, ungeniert, destruktiv –
keinesfalls angepasst sind die Outfits der bisherigen PreisträgerInnen des Adlmüller-Stipendiums. Viele von ihnen haben inzwischen
erfolgreich und international Karriere gemacht: Sie arbeiten in
Wien, Bologna, Mailand, Paris, Zürich, Athen und los. Einige haben
ein erfolgreiches Label aufgebaut.

An ihnen lässt sich das kreative Potenzial der Studierenden
und AbsolventInnen der Modeklasse der letzten 15 Jahre deutlich
erkennen und macht neugierig auf die kommenden Jahre. Fred
Adlmüller war bis zuletzt offen und aufgeschlossen für das Neue
und Kommende. Diese Publikation und Ausstellung sollen dazu
beitragen, die von ihm gesetzten Impulse weiter fortzusetzen.

Es ist mir ein besonderes Anliegen, an dieser Stelle meinen
beiden Mitarbeiterinnen Carmen Bock und Doris Drochter besonders
zu danken. Nur durch ihren stets engagierten Einsatz war die Reali-
sierung dieses Projektes möglich. Prof. Annemarie Bönsch danke ich
für wertvolle Kontakte und Unterstützungen.

Dr. Elisabeth Frottier, MAS, Leiterin der Kostüm- und Modesammlung
der Universität für angewandte Kunst Wien.
Wien, im März 2009

Elisabeth Frottier

Biografische Daten
Fred Adlmüllers
(1909-1989)

1909 | Geburt von Wilhelm Alfred Friedrich Franz Adlmüller am 16. März in Nürnberg als ältester Sohn des Lokalbesitzers Burkhardt Adlmüller und seiner Frau Elise, geb. Geubig; der Großvater war Glasschleifer gewesen. | Im selben Jahr Übersiedlung der Familie nach München-Grünwald, Erwerb und Betrieb von zwei Hotel-Restaurants (*Römerschanze* und *Grünwalder Weinbauer*).

1916 | Geburt des Bruders Eduard, genannt Edi. Gemeinsam mit Stiefschwester Martha, aus der ersten Ehe von Freds Mutter, harmonisches Familienleben.

1923-27 | Nach Besuch der Maria-Theresien-Realschule Hotelfach-schule; Kochlehrling im Hotel *Vier Jahreszeiten* in München.

1925 | Plötzlicher unerwarteter Tod der Mutter.

1927-29 | Mitarbeit in den elterlichen Betrieben, Schwierigkeiten mit dem Vater, der die beiden Betriebe allmählich in den Ruin führt.

1929 | Am 2. November mit gesamten eigenen Ersparnissen Übersiedlung nach Wien.

1930 | Auf Anraten des Kostümbildners der Wiener Oper, Ladislaus Czettel, ab Jänner Arbeit in der renommierten Firma *Ludwig Zwieback & Bruder* (Kärntner Straße 15) als Verkäufer in der Herrenabteilung.

1931 | Im Mai Eintritt in das traditionsreiche, vor allem für Sport-moden im englischen Stil bekannte Geschäft *Tailors, Stone & Blyth* im barocken Palais Esterházy im ersten Bezirk, Kärntner Straße 41, im Besitz der Familie Sass. Arbeitsort hauptsächlich Bad Gastein, das damals als Nobelkurort gilt, und wo *Stone & Blyth* zwei Filialen besitzt. Kontakt mit der internationalen High Society. Rückkehr nach Wien im Herbst. Arbeit als Modelleur, Ein- und Verkäufer und Berater. Zusammenarbeit mit Frau Sass bei der Erweiterung des Damen-modenangebots.

1931-32 | Perfektionierung der Kenntnisse in Kundenbetreuung und Modellentwurf, Reisen zu Modepräsentationen nach Paris. Intensive Beschäftigung mit Schnitten, Stoffen, Materialien,

< S. 26

Fred Adlmüller im Alter von
zwei Jahren, 1911 (AN, Nr. 1038)

Fred Adlmüller, Porträtfoto
von 1936 (AN, Nr. 1009/10)

< S. 26

Fred Adlmüller, Porträtfoto
von 1932 (AN, Nr. 1016/8)

Ornamenten, Schmuck und Accessoires, und speziell mit Farben.
Ab nun besondere Konzentration auf harmonische Farbzusammen-
stellungen. Die Farbbegeisterung wird charakteristisch für das
gesamte Schaffen Adlmüllers.

1933 | Am 27. Mai erfolgreiche Teilnahme an der internationalen
Modegala in der Wiener Hofburg mit erster eigener Kollektion.

1934-36 | Allmählicher Aufstieg zum gefragten Wiener Couturier
sowie Mode- und Styling Berater, zahlreiche Opernsängerinnen
und Schauspielerinnen werden zu seinen Kundinnen. Intensive
Teilnahme an gesellschaftlichen Ereignissen (Oper, Operette,
Theater, Bälle und Empfänge, Mode- und Autopräsentationen,
Sportveranstaltungen, Sommerurlaube am Wörthersee).

ab 1936 | Kostümentwürfe und Ausstattungen für Burgtheater
und Staatsoper in Wien, die Deutsche Oper am Rhein in Düsseldorf,
das Nationaltheater in München und die Metropolitan Oper in New
York. Zunehmende berufliche Etablierung und große Wertschätzung
durch das Ehepaar Sass. Zahlreiche Modeschauen in Gastein im
Hotel de L'Europe.

Fred Adlmüller mit Hildegard Knef
in Bad Gastein, 1952 (AN, Nr. 1029/1)

Fred Adlmüller mit Freunden (links
neben ihm Käthe Dorsch, hinter ihm
Herbert Schill), Ende der 1930er Jahre
(AN, Nr. 1020/4)

1938 | Die nationalsozialistischen Machthaber setzen Frank Keller
als ›kommissarischen Verwalter‹ des Geschäftes ein. Anschließend
wird das Unternehmen im Zuge der ›Arisierung‹ von Heribert
Schindelka erworben, der dem versierten Couturier Adlmüller
weiterhin die sachkundige Führung des Salons überlässt. Ignaz
und Stefanie Sass emigrieren nach England. Zusammenfassung der
Firmen *Henrick* am Graben (ehemals *Grünbaum*), *Faschingbauer*,
Farnhammer, *Höchsmann* und *Stone & Blyth* zum *Wiener Modering*.

1939 | Erkrankung Adlmüllers an Scharlach und hartnäckiger
Nierenentzündung: daher keine Einberufung in die Wehrmacht.

1940–45 | Zunehmende Verschlechterung der Lebens- und Arbeits-
bedingungen unter dem Druck des Naziregimes und des Zweiten
Weltkrieges: kaum mehr Privatkundinnen, Materialbeschaffung
für den Salon immer schwieriger. | Beginn der Mitarbeit Adlmüllers
bei zahlreichen Ausstattungen österreichischer Filme (*Wien Film,
Paula-Wessely-Film*) und einer engen und lebenslangen Zusammenarbeit und Freundschaft mit Willi Forst, Curd Jürgens und Victor
de Kowa. Stars von Film und Bühne werden seine Kundinnen: Paula
Wessely, Käthe Dorsch, Marika Rökk, Zarah Leander, Maria Reining,
Irmgard Seefried, Hedwig Bleibtreu, Ilse Werner, Margot Hielscher,
Hildegard Knef. | Lebensmittelknappheit und Bombenangriffe er-
schweren jede kreative Arbeit: Am 12. März 1945 verlässt Adlmüller
intuitiv im letzten Moment den Luftschutzkeller des Philiphofes
in Wien und entgeht dadurch einem tödlichen Bombentreffer.
Überlebt die letzten Kriegstage gemeinsam mit Willi Forst in dessen
Privatbunker.

Fred Adlmüller und Herbert Schill
in New York, Doppelporträt aus den
1940/50er Jahren (AN, Nr. 886)

Fred Adlmüller und Herbert Schill
auf Weltreise, 1964 (AN, Nr. 1013/19)

1945 | Neuadaptierung des Geschäftes und der Werkstätten im
Palais Esterházy, gute Kontakte mit der russischen Besatzung,
für deren Frauen modische Kleidung entworfen wird. Verlegung
einer eigenen Stromleitung vom Sitz der russischen Befehlshaber
(*Hotel Bristol*) in die Räumlichkeiten von *Stone & Blyth*. Präsentation
einer ersten Herbstkollektion nach Kriegsende. | Verhaftung von
Schindelka als Ariseur durch die amerikanische Besatzung, Ein-
setzung von Adlmüller als öffentlicher Verwalter des Geschäftes
vom Staatsamt für Industrie und Gewerbe, Handel und Verkehr.
Flug nach London zum Ehepaar Sass, das Adlmüller weiterhin mit
der Führung der Geschäfte betraut.

1946 | Meisterrecht für das Damenschneidergewerbe am 5. April.
Verleihung der österreichischen Staatsbürgerschaft am 4. Juni.
Ausstattung der von Willi Forst in der Wiener Volksoper inszenierten
Operette *Orpheus in der Unterwelt* von Jacques Offenbach mit
Esther Rethy, Christl Maradyn, Max Lorenz und Hans Moser. Weitere
Sängerinnen werden zu seinen Kundinnen: die Schwestern Hilde
und Anni Konetzny, Kirstin Flagstadt, Frieda Leyrer, Margarethe
Klose. | Begründung der Tradition durch die Frau des ersten Nach-
kriegspräsidenten Karl Renner, die Opernball-Roben der öster-
reichischen First Ladies – sowie die Fräcke der Bundespräsidenten –

Fred Adlmüller vermutlich bei einem
Staatsbesuch in seinem Salon, 1950er
Jahre, (AN. Nr. 1013/4)

aus dem Salon Adlmüller zu beziehen. | Übersiedlung von der bis-
herigen Wohnung im vierten Bezirk, Schwindgasse 11, in den ersten
Bezirk, Mahlerstraße 7.

1948 | Rückstellung des Geschäftes in das Eigentum des Ehe-
paares Sass. Eröffnung einer eigenen Filialie in München: Salon und
Boutique. Etablierung eines weiteren Verkaufslokals im Nobelhotel
Bayrischer Hof.

1949 | Heimkehr des Ehepaares Sass aus dem Londoner Exil am
17. Juni. Adlmüller verschafft ihnen die Rückkehr in die ehemalige
Wohnung im ersten Bezirk, Nibelungengasse. Ignaz Sass und
Adlmüller gründen gemeinsam die *Ges. Stone & Blyth Nachfolger –
W.F. Adlmüller Ges.m.b.H.* | Entdeckung der jungen Schauspielerin
Nadja Tiller als Mannequin für seine Modeschauen. Auf Vorschlag
Adlmüllers wird sie Kandidatin für die Wahl der Miss Austria, gewinnt
den Titel und startet ihre internationale Filmkarriere.

1950 | Gänzliche Übernahme des Geschäfts durch Fred Adlmüller
gegen eine Leibrente für das kinderlose Ehepaar Sass.

1952 | Ehrenpreis der Stadt Wien.

50er Jahre | Aufstieg zum ›Modekönig‹ von Wien: Adlmüllers
Modeschauen werden von der Elite der Wiener Gesellschaft
besucht: Die Frauen von prominenten Politikern und Industriellen,
sowie zahlreiche KünstlerInnen werden zu seinen Stammkundinnen:
Judith Holzmeister, Eva Bartok, Marianne Koch, Romy Schneider,
Hilde Güden, Anneliese Rothenberger, Maria Eis, Melli Forst, Christa
Ludwig, Lisa della Casa, Anja Silja, Elfie Mayerhofer, Christl Maradyn,
Ljuba Welitsch, Elisabeth Schwarzkopf, Eliette von Karajan, Gräfin
Schönborn, die Baroninnen von Einem und von Thyssen. Zu seiner
internationalen Klientel zählen: Soraya von Persien, die Begum,
Königin Margarethe von Dänemark, Königin Friederike von Griechen-
land, Königin Sirikit von Thailand, die Frau des indonesischen Staats-
präsidenten, Madame Sukarno, Kronprinzessin Cäcilie von Preußen,
König Hussein von Jordanien und seine Frau Nur, Fürstin Gracia
Patricia von Monaco u.v.a. | Kreation des *Eau de Vienne* in Naarden,
später in Grasse, durch den ›Duftnarren‹ Adlmüller, Verkauf in
einem von ihm entworfenen Flakon, einem umgedrehten Tulpenglas.

Fred Adlmüller mit Kundin in Adlmüller-
Robe bei einer Festveranstaltung,
1960er Jahre (AN)

>
Fred Adlmüller mit dem Porträt
von Ernst Fuchs *Fred Adlmüller
mit Muse* (1956), 1960er Jahre
(AN, Nr. 896/1)

>
Fred Adlmüller mit Ernst Hauessermann,
Marlene Lauda, Susi Nicoletti und
Herbert Schill, Ende der 1970er Jahre
(AN, Nr. 1016/5)

Zusätzlicher Betrieb einer Prêt-à-Porter Boutique. Ab nun regel-
mäßige Unternehmung von vier Parisreisen pro Jahr. | Poldi Fuchs
war Hausmannequin bei Adlmüller. Dieser hatte schon früh das
Talent ihres Sohns Ernst erkannt, dessen Förderung angeregt und
damit die Basis für dessen Karriere als Maler gelegt. Später ent-
steht ein von Fuchs gemaltes Adlmüller-Porträt.

1956 | Gründung der eigenen Firma: *W. F. Adlmüller Ges.m.b.H.*

1958 | Grand Prix bei der Brüsseler Weltausstellung für die beste
Hostessenuniform (in Konkurrenz mit Balenciaga – den Adlmüller
für den Größten in der damaligen Modeszene hält –, Dior, Fath
und Givenchy: Adlmüller selbst bezeichnete den internationalen
Wettbewerb später als »die größte Herausforderung meines
Lebens«). | Beginn einer intensiven Freundschaft mit Fritz Wotruba,
Adlmüller wird zum Wotruba-Sammler.

1964 | Erste Weltreise (u. a. Indien, Malaysia, Bali, Japan und die USA)
gemeinsam mit seinem Lebensgefährten Herbert Schill
(1916–2000), der seit 1952 einen eigenen Haute Couture-Salon am
Kohlmarkt leitet. Niederschlag der fernöstlichen Inspirationen in
seinen Kollektionen. | Ablehnung des Angebots, für einen japani-
schen Konzern eine Kollektion zu erarbeiten.

60er Jahre | Zahlreiche Besuche bei Curd Jürgens in Vence an
der Côte d'Azur, Veranstaltung der so genannten »Wiener Abende«,
an denen Adlmüller als Koch und Tischdekorateur fungiert. Unter
den Gästen Herbert von Karajan, Heinz Rühmann, Gert Fröbe. —
Karibikreise: Bekanntschaften mit neuer, internationaler Klientel. —
Anfertigung der gesamten Garderobe des Präsidentenpaares Jonas
für einen Staatsbesuch bei der englischen Queen.

1968 | Verheerender Brand des Salons Adlmüller: Wiedereröffnung
unter seiner Führung bereits nach sechs Wochen mit der Frühjahrskollektion. Vermietung der oberen Salons an das Spielcasino.

1969 | Goldenes Ehrenzeichen für Verdienste um die Republik.

1973-79 | Lehrtätigkeit an der Hochschule für angewandte Kunst
als Professor und Leiter der Meisterklasse für Mode. Aus diesem

 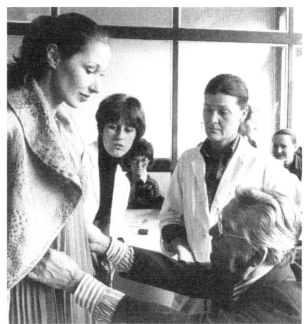

Fred Adlmüller mit seinem langjährigen Freund Curd Jürgens und
dessen Frau Margie, Ende 1970er Jahre
(AN, Nr. 844/25)

Fred Adlmüller an der ›Angewandten‹
mit Mannequin und seinen
Assistentinnen Christa Mödler und
Elfriede Friedrich, 1976, Einladungskarte
(Sammlungen der Universität für
angewandte Kunst Wien)

‹

Fred Adlmüller mit Herbert Schill,
Curd und Margie Jürgens und deren
Tochter Miriam im Rolls Royce,
Ende 1970er Jahre (AN, Nr. 579)

Grund Aufgabe der Dependance in München und der En-Gros-Firma
Adlmode (die er seit Ende der 50er Jahre gemeinsam mit einem
Kompagnon geführt hatte. Sie war auf Strickmodelle spezialisiert
und exportierte hauptsächlich nach Amerika); bald darauf auch
Aufgabe des Geschäftes in Bad Gastein. Verzicht auf die Pensions-
bezüge als Professor der ›Angewandten‹.

1978 | Modepreis der Stadt München.

80er Jahre | Die Einladung eines Scheichs, in Riad eine Boutique
mit Adlmüller-Modellen zu eröffnen, wird von ihm abgelehnt.

1980 | Goldenes Ehrenzeichen für Verdienste um das Land Wien

1981 | Große Silberne Ehrenmedaille
der Wiener Handelskammer zum 50jährigen Berufsjubiläum.

1982 | Verleihung des Berufstitels Hofrat
durch die österreichische Bundesregierung.

1984 | Groß inszenierter Ball mit Mode-Gala mit 800 Gästen aus
Anlass des 75. Geburtstages in der Wiener Hofburg: Maître Leherb
widmet dem Jubilar das auf der Einladung abgebildete Aquarell
La Nuit bleue de la Mode als »Hommage an Hofrat Fred Adlmüller«.

1985 | Verkauf eines Großteils seiner Firma an die Firma *Palmers*
u. a. mit dem Ziel, seinen Angestellten eine berufliche Kontinuität
zu ermöglichen.

Fred Adlmüller erhält das Goldene
Ehrenzeichen für Verdienste um
das Land Wien von Bürgermeister
Helmut Zilk, 1980 (AN, Nr. 911/4)

Fred Adlmüller mit Maître Leherb,
1980er Jahre, (AN, Nr. 1013/12)

Fred Adlmüller in seiner Wiener
Wohnung, 1960er Jahre (AN, Nr. 896/11)

>

Fred Adlmüller in seinem Salon,
1980er Jahre (AN, Nr. 877)

1989 | Feier des 80. Geburtstages in einer spektakulären Fest-
veranstaltung im Schloss Schönbrunn. | Plakatentwurf Adlmüllers
für den Opernball 1990 mit ›Miss World‹ Ulla Weigerstorfer in einer
smaragdgrünen Adlmüller-Robe. | Am 26. September verstirbt Fred
Adlmüller nach schwerer Krankheit in Wien. Am 6. Oktober Beiset-
zung am Wiener Zentralfriedhof in einem Ehrengrab der Stadt Wien.

1990 | Am 20. Juni Versteigerung des Wohnungsinventars
und der Garderobe Adlmüllers in einer Sonderauktion des
Wiener Dorotheums zugunsten des Malteser Ritterordens.

2002 | Schließung des Salons Adlmüller,
Übernahme der Räume durch das *Casino Wien*.

»In meinem Leben stand an erster Stelle
die Mode, dann kam wieder die Mode
und dann nochmals die Mode.«

Fred Adlmüller an seinem 80. Geburtstag

Adlmüller
als Modeschöpfer

Ingrid Loschek

Fred Adlmüller: Die Ästhetik seiner Mode verschmilzt mit der Identität einer Stadt

Die Geschichte einer Stadt ist gleichzeitig die Geschichte von Menschen, die die Stadt bewohnen, beleben und prägen. Gewiss, die Menschen bleiben nicht präsent wie Gebäude und Plätze, wenngleich auch diese der Zerstörung anheimfallen. Den Menschen einer Stadt kann man in Ausstellungen, Büchern und Filmen gedenken und sie damit in der Erinnerung halten. Wenngleich Erinnerungen nie dem entsprechen, wie es war, sondern wie es individuell erlebt und interpretiert wird. Erinnerungen sind nicht Erinnerungen an Tatsachen, als vielmehr an Erinnerungen. Nur in dieser Konstellation lassen sich Leben und Wirken von Fred Adlmüller und seine Beziehung zu Wien darstellen.

Kreativität, Ehrgeiz und Sendungsbewusstsein

Kreativität fand im Schaffen von Fred Adlmüller in der Interaktion zwischen dem individuellen Denken und Fühlen und dem soziokulturellen Kontext statt. Kreativität lag bei Adlmüller in der Fähigkeit, das Erhaltenswerte zu schützen, zu regenerieren oder durch Anpassung an den zeitgemäßen Lebensstil zu bewahren (Eine Einstellung, die – pauschal gesprochen – stark mit der österreichischen Auffassung von Kunst und Kreativität übereinstimmt). Es lag Adlmüller nicht an der Erschaffung des ›noch nie Dagewesenen‹ als vielmehr an der Erneuerung des Vertrauten. ›Neu‹ war für ihn kein Wert an und für sich, sondern allenfalls ein Beziehungsbegriff. Das Neue musste sich für Adlmüller immer erst beweisen, musste in seinem Umfeld vergleichsweise besser, attraktiver oder nützlicher erscheinen als das Alte. Allein um des Neuen willen gab Adlmüller seinen Stil und seine Auffassung von Mode nicht preis. Da es ihm um Anpassung (jedoch nicht um Vereinnahmung) des ›Wiener Geschmacks‹ an die Weltmode ging, fand die Individualität seiner Kreationen qua Inklusion und nicht qua Exklusion modischer Trends statt.

Fred Adlmüller hatte sich seine gestalterischen Fähigkeiten durch Adaption von bewährten Modellen für den Wiener Geschmack erworben und so lange perfektioniert, bis sein Können und sein gestalterisches Verständnis eigenständig geworden waren. Dieser ungewöhnliche Weg zum Grand Couturier war ihm ermöglicht durch eine Anstellung als Verkäufer in dem eleganten Warenhaus *Stone & Blyth* in der Wiener Kärntner Straße. Der aus Nürnberg stammende Hoteliersohn wollte nicht den väterlichen Beruf weiterführen, son-

Das Geschäft *Stone & Blyth Nchf. W. F.*
Adlmüller GesmbH im Palais Esterházy
in der Wiener Kärntner Straße 41
(AN, Nr. 929/10)

dern ging 1929 nach Wien. Anfang der 1930er Jahre wurde er von dem Ehepaar Sass, Inhaber von *Stone & Blyth*, gebeten, einige der für die neu etablierte Damenmodenabteilung erworbenen Modelle – etwa von Uli Rosenbaum aus Prag oder solche aus Paris – für ihren Salon zu kopieren (Ein damals völlig selbstverständlicher und legaler Vorgang). Sehr schnell emanzipierte sich Adlmüllers kreatives Vermögen von der Kopie zu eigenständigen Modellen, sodass 1933 erstmals eine eigene Modeschau präsentiert werden konnte. Unzählige individuelle Modelle für eine hochkarätige Klientel sowie ebenso zahlreiche Bühnen- und Filmkostüme, die er in mehr als vier Jahrzehnten nach dem Zweiten Weltkrieg schuf, belegen sein unerschöpfliches kreatives Können. Abgesehen davon sah Adlmüller – wie er selbst sagte – einen Beweis seines Könnens in der Auszeichnung mit dem Grand Prix für die beste Hostessenuniform anlässlich der Weltausstellung in Brüssel 1958. In diesem Zusammenhang verwies Adlmüller auch auf seine Verantwortung seinem Repräsentationsland gegenüber: »Denn es galt ja bei dieser Aufgabe, nicht nur mich selbst zu präsentieren, sondern Österreich vor den kritischen Augen

Jacke des rot-weißen Gala-Hostessen-
kostüms für die Weltausstellung in
Brüssel, 1958 (MAK, Studiensammlung
Textil, Inv. Nr. T 11681–1996)

Jacke des kanariengelben Hostessen-
kostüms für die Weltausstellung in
Brüssel, 1958 (MAK, Studiensammlung
Textil, Inv. Nr. T 11682–1996)

der Weltöffentlichkeit würdig zu vertreten.«[1] Seine Hostessen-
kleidung war nicht nur in naheliegendem Weiß-Rot, sondern auch
in Kanariengelb (!) mit silbergrauen Einfassungen.

Ein Hofrat als Couturier

Kein Zweifel, das Schaffen von Fred Adlmüller ist als Haute Couture
zu verstehen, ganz im Sinne deren Ursprungs. Die Haute Couture,
die in Paris durch den Engländer Charles Frederick Worth um 1860
begründet wurde, zeichnet sich dadurch aus, dass der Couturier ein
autonomer Ideengeber und kreativer Entwerfer, das heißt der Ge-
stalter des Produkts ist, der selbst nicht notwendigerweise (Aus-
nahmen existieren) schneidern oder nähen kann. Damit waren Entwerfer und Ausführende keineswegs mehr identisch. Das handwerkliche und das Ideen generierende beziehungsweise entwerfende
Arbeiten entfernte sich (mehr oder weniger) voneinander, obwohl
das eine ohne das andere nicht existieren kann. In der Haute Couture trat neben die alleinige Wertschätzung des handwerklichen
Könnens die zum Teil weitaus größere Wertschätzung von Idee, Entwurf und soziale Anerkennung.[2] Der kreativ schaffende, diktato-
rische beziehungsweise ›göttliche‹ Anspruch des Mode›schöpfers‹
war bis weit in die 1960er Jahre unter anderem bei Christian Dior,
Cristóbal Balenciaga oder Emilio Schuberth, aber auch bei Adlmüller
evident. Allerdings machte sich die österreichische Eigenart dahin-
gehend bemerkbar, als Adlmüller nicht als ›Haute Couturier‹,
sondern als ›Hofrat‹ betitelt wurde. 1982 war Prof. Fred Adlmüller
vom Bundespräsidenten der Berufstitel ›Hofrat‹ verliehen worden.

Gesellschaftliche und nationale Verpflichtungen

Als Leitsatz der gesellschaftlichen Verpflichtungen, denen Adlmüller
als Wiener Modeschöpfer nachkam, könnte die Erkenntnis von Humberto Maturana (chilenischer Neurobiologe, Philosoph und Erkennt-
nisforscher) stehen: »Wollen wir mit anderen Personen koexistieren,
müssen wir sehen, dass ihre Gewissheit (…) genauso legitim und gül-
tig ist wie unsere.«[3] Diese Sichtweise beziehungsweise Handlungs-
maxime ermöglichte es Adlmüller, eine sehr divergente Klientel zu
bedienen. Adlmüller war gleichermaßen einer Gesellschaft verbunden,

Adlmüller-Modeschau im Hotel
Schloss Fuschl mit französischen
Mannequins, 1960er Jahre
(AN, Nr. 246/1, 249/34, 247/28,
247/34, 248/16, 248/17, 245/22)

die sich durch ihre Herkunft definierte wie Königin Sirikit von Thailand, die Begum oder Baronin von Thyssen, als auch einer Klientel,
die sich durch ihre Karriere, das heißt durch Gegenwart und mögliche
Zukunft und nicht durch ihre Vergangenheit definierte. Hierzu muss
man Hildegard Knef, Nadja Tiller, die Opernsängerinnen Irmgard Seefried und Christa Ludwig, ebenso Eliette von Karajan und die Ehe-
frauen des von ihm sehr geschätzten Curd Jürgens zählen. Natürlich
gehörten auch zahlreiche Politikergattinnen des In- und Auslands
dazu. Adlmüller vermochte immer Aspekte des Selbst seiner Kundinnen in seinen Kreationen wiederzugeben, das Positive hervorkeh-
rend. Er kannte bestens deren unverwechselbare Lebensgeschichte
und ihre soziale Identität. Diese übertrug er auf seine Kreationen,
auf ihre Extravaganz oder Zurückhaltung, auf die Form des Dekolle-
tés, auf die Länge des Rockes, auf das Fließende oder Steife des
Stoffes, auf die Wahl von Farben und Muster ebenso wie auf den
Aufputz. Auch kannte Adlmüller den Schmuck seiner Kundinnen und
nahm auf die Präsentation desselben in seinen Kreationen Rücksicht.

    Darüber hinaus lag für Adlmüller in der Kleidung auch eine
Strategie der Disziplinierung und der Einordnung in die Gesellschaft.
Diese (bewussten oder unbewussten) Strategien halfen ihm im Auf-
bau und in der Bindung einer loyalen Klientel nach dem Zweiten
Weltkrieg, als er auf Bitten von und in Abstimmung mit den aus der
Emigration zurückgekehrten Besitzern den Salon *Stone & Blyth* über-

Fred Adlmüller mit Jacques Fath in
seiner Wiener Wohnung, Anfang der
1950er Jahre, (AN, Nr. 929/9)

‹

Fred Adlmüller mit Nadja Tiller und
Herbert Schill am Josefstädter Ball
1956 (?) (AN, Nr. 584)

nahm und zu *W. F. Adlmüller* machte.[4] Nicht zuletzt statuierte Adlmüller die Disziplinierungsstrategie in den höflichen Umgangsformen
und in der korrekten Bekleidung seiner eigenen Person. Selbst seine
Freizeitkleidung war stets korrekt. Auch waren seine Disziplin und
Ordnungsliebe sowie sein ästhetischer Anspruch Teil seiner Lehre
als Professor an der Hochschule für angewandte Kunst in Wien.

Adlmüller stand zu seiner gewiss konservativen Haltung. Hippies
waren ihm ein Gräuel, die Ästhetik des Hässlichen der Punks stieß
bei ihm auf vollkommenes Unverständnis. Die Frage nach seinem
Verhältnis zu diesen Lebensäußerungen der Jugend konnte ich, als
junge Modewissenschafterin, an Prof. Adlmüller anlässlich der Vergabe des Modepreises der Stadt München an ihn 1978 in München
stellen. Dieser Anlass sowie ein Interview in seinem Salon im Palais
Esterházy in Wien waren meine einzigen Begegnungen mit dem Grand
Seigneur. Der Modepreis der Stadt München galt dem über die Grenzen Österreichs bekannten Modeschöpfer, aber Adlmüller war auch
der Stadt München sehr verbunden, unterhielt er doch im Münchner
Hotel *Bayerischer Hof* von 1948–1973 eine Dependance neben jener
in Bad Gastein. Ganz abgesehen davon, dass Adlmüller, der Nürn-
berger Hoteliersohn, in den zwanziger Jahren im Hotel *Vier Jahres-
zeiten* in München Kochlehrling war.

Im Mittelpunkt seiner Verpflichtung stand immer auch jene
Verbindlichkeit seiner zweiten Heimat Österreich gegenüber, deren
Staatsbürger er bereits 1946 geworden war. Adlmüller hatte einen
nicht unerheblichen Anteil daran, Wien nach 1945 nicht nur ›phy-
sisch‹ wieder aufzubauen, sondern der Stadt auch jenes Flair und
jenen Charme zurückzugeben, für die Wien berühmt war. Adlmüller
war, trotz vieler Reisen, nur insofern Weltbürger, als er die Welt für
Wien annehmbar zu machen strebte: Als Hommage an Wien nannte
Adlmüller sein Parfum *Eau de Vienne*.

Ästhetik in Übereinstimmung mit kultureller Wertigkeit

Adlmüller verstand intuitiv, dass die kulturelle Bedeutung von Kleidung in der gesellschaftlichen Verortung des Menschen liegt. Kleidung ist, neben Gestik und Sprache, das engste Kommunikations-
medium des Menschen zu seiner Umgebung. Durch Adlmüllers
enge Verbundenheit mit seiner Klientel und dem Wissen über deren
gesellschaftliche und berufliche Verflechtungen sowie der intimen

Modeschau für Madame Sukarno,
die Frau des Indonesischen Staats-
präsidenten im Salon *W. F. Adlmüller*,
1964 (AN, Nr. 1013/24)

Kenntnis der kulturpolitischen Situation in Österreich fungierte er
als Beobachter von innen und von außen. Adlmüller war jedoch
Professionist genug, um persönliche Nähe und berufliche Distanz
in Einklang zu bringen. Dieser Einklang war, wie erwähnt, die perfekt
auf die Trägerin zugeschnittene Robe, worauf sein anhaltender
Erfolg und seine Anerkennung basierten. Die Konzepte seiner Kreationen basierten vorrangig nicht auf ihrem Gebrauchs- oder Waren-
wert, sondern auf emotionalen und kommunikativen Werten, zumal
es Adlmüller auch verstand, seinen Produkten eine Seele einzu-
hauchen. Der ästhetische Anspruch von Fred Adlmüller generierte
sich aus der Einheit von Erkennen, Wissen und Prägung. Stil bein-
haltete für ihn abgesicherte Grenzen, die kommunikativ zwischen
den Bedürfnissen seiner Klientel, dem sozialen Anlass und der
Räumlichkeit verhandelt werden. Da Adlmüller Teil der Wiener Gesellschaft und Mitgestalter der Anlässe wie Opernball, Gala-Modeschauen und Theaterpremieren in einer Person war, war es ihm wie
kaum jemand anderem möglich, den jeweils angesagten Kleidungs-
stil zu antizipieren.

1 | Schill, Herbert: Fred Adlmüller. Der Schönheit zu Diensten. Amalthea, Wien-München 1990. S. 73. Herbert Schill erzählt kompetent über das schillernde Leben des Couturiers. Leider haben sich einige Datierungsfehler bei den Abbildungen eingeschlichen.

2 | Loschek, Ingrid: Wann ist Mode? Strukturen, Strategien und Innovationen. Berlin 2007. S. 28

3 | Maturana, Humberto R. und Varela, Francisco: Der Baum der Erkenntnis. Bern/München 1987. S. 260

4 | In der Blütezeit des Unternehmens, einer GesmbH, bot Adlmüller zweimal jährlich eine Damen-Couture-Kollektion sowie Herren- und Boutique-Mode an.

5 | Als Inspiration für die Jacke des Chanel-Kostüms soll Gabrielle Chanel durch ihren Aufenthalt in der Schweiz während des Zweiten Weltkrieges der Schnitt des losen Trachtenjankers gedient haben. Loschek, Ingrid: Reclams Mode und Kostümlexikon. Stuttgart 2005. S. 142. Loschek, Ingrid: Wann ist Mode? S. 222

Adlmüllers stilistisches Spannungsfeld war allerdings begrenzt durch seinen diktatorischen Anspruch an Eleganz, proportionale Ausgewogenheit und Tragbarkeit. Sein Stilrepertoire lag zwischen der damenhaften Aura der Pariser Haute Couture und der sportiven Eleganz von Gabrielle Chanel der 1950er Jahre. Damit konzentrierte sich seine Mode zwischen dem krinolinenartigem New Look von Christian Dior, der trotz der Bezeichnung ›New‹ eine Rückbesinnung auf die repräsentativen Aufgaben des imperialen 19. Jahrhunderts war, und dem funktionellen Stil von Gabrielle Chanel, für deren Chanel-Jacke der alpine Trachtenjanker als Vorbild gedient hatte.[5]

Einen weiteren Beweis seiner Stilsicherheit und seines kreativen Könnens lieferte Adlmüller in der Gestaltung seiner elf Schaufenster, die er – eigenhändig oder zumindest nach seinen Vorgaben – zweimal pro Woche änderte. Neben den Auslagen des k. u. k. Hofzuckerbäckers *Demel* zählten jene von Adlmüller zu wahren Pilgerstätten für Geschmack und Fantasie. Oft beherrschten Festwochen-Plakate, Fotos seiner Klientel sowie von Stars, die gerade in Wien debütierten, ein Schaufenster und stellten einen willkommenen Bezug zum lokalen Zeitgeschehen dar.

Statt eines Resümees

Eine Aussage von Humberto Maturana trifft so sehr auf die Verschmelzung von Fred Adlmüller, seinem Lebensstil und seinem modischen Schaffen mit der Stadt Wien und seiner gutbürgerlichen Gesellschaft zu, dass diese anstelle eines Resümees treten kann: »Wir erzeugen die Welt, in der wir leben, buchstäblich dadurch, dass wir sie leben.«

Ingrid Loschek, Dr. phil., studierte in Wien und Manchester (GB) Theaterwissenschaften und Kostümgeschichte. Sie lehrt als Professorin Modegeschichte und Modetheorie an der Hochschule für Gestaltung, Technik und Wirtschaft in Pforzheim. Als Gastgelehrte dozierte sie an der Harvard University, Cambridge, Massachusetts, USA, an der Japan Women's University, Tokio, sowie an der Helwan University in Kairo und in El-Mansura, Ägypten. 2004 leitete sie einen Fashion-Workshop in Hanoi und Saigon anlässlich des *Performing Art Festival* der ASEM V Gipfelkonferenz. Ihre interdisziplinären Forschungen erstrecken sich auf soziologische und ethnologische Komponenten der Mode, auf Innovationstheorien in der Mode sowie auf die Wechselwirkung von Mode und Kunst. Sie ist Autorin zahlreicher Modefachbücher.

Gloria Sultano

Von Tailors, Stone & Blyth zu W. F. Adlmüller: Variante einer Arisierung

Die Tage im Frühjahr 1938 sind gekennzeichnet von ›wilden Arisierungen‹, von Geschäfts- und Wohnungsplünderungen sowie von Hetzjagden auf Juden. Der Antisemitismus hat in Wien eine wichtige Funktion auf sozialem und wirtschaftlichem Gebiet. Eben dort, wo der Nationalsozialismus die Erwartungen seiner Anhänger zwar geschürt hatte, aber nicht erfüllen konnte. Konkrete Interessen wie Beseitigung des jüdischen Konkurrenten als Händler oder Warenhausbesitzer, als Rechtsanwalt oder Arzt, die Inbesitznahme einer Wohnung oder eines wertvollen Möbelstücks spielten eine Rolle. Dazu verstärkten die schlechte Wirtschaftslage und die Überbesetzung in vielen Branchen den ›mittelständischen‹ Antisemitismus.

Josef Bürckel, als ›Reichskommissar‹ zuständig für die ›Arisierungen‹, bemerkt zu den ›wilden‹ Wiener ›Arisierungen‹ bedauernd: »Die herrliche Geschichte des Nationalsozialismus und der Erhebung in Österreich haben durch das, was sich in den ersten Wochen an Raub und Diebstahl ereignet hat und was mich zu den schärfsten Maßnahmen veranlasst hat, eine gewisse Trübung erfahren.«[1] Sogar der *Völkische Beobachter*, Wiener Ausgabe, sieht sich veranlasst, den ›Eifer‹ der Wiener zu bremsen: »Mußte den Norddeutschen der Nationalsozialismus also vielfach erst auf die privaten, sozusagen unpolitischen Gefahren des Judentums aufmerksam machen, so ist es in Wien im Gegenteil die Aufgabe einer verantwortungsbewussten, um die Untadeligkeit und Reinheit der Bewegung besorgten Volkserziehung, den überschäumenden Radikalismus einzudämmen und die verständliche Reaktion auf die jüdischen Übergriffe eines geschlagenen Jahrhunderts in geordnete Bahnen zu lenken.«[2]

So wird Österreich, obwohl politisch Jahre in Verzug, in der ›Judenpolitik‹ bald tonangebend. Hier wird nicht lang ›gefackelt‹. Die ›Arisierungen‹ werden ›großzügiger‹, konsequenter und schneller als in Deutschland nach 1933 abgewickelt. Was für Gewinne dabei erzielt werden konnten, veranschaulicht das Beispiel der ›Arisierung‹ der *Donau-Strumpf*, einer Strumpf- und Wirkwarenfabrik. Sie wird im August 1939 an den ›Arier‹ Franz Schimon verkauft, der jüdische Vorbesitzer erhält Reichsmark 11.000,00. Schimon veräußert die *Donau-Strumpf* noch im selben Jahr um RM 70.000,00. Eineinhalb Jahre später wird sie für RM 150.000,00 erneut zum Verkauf ausgeschrieben.

Sehr schnell müssen also die ›wilden‹ Enteignungen durch staatliche Stellen geregelt werden: Es kommt zur ›legalen‹, von oben kontrollierten ›Arisierung‹. Bürckel veranlasst Ende Juni 1938 die Überprüfung sämtlicher Beschlagnahmungen und gibt bekannt, dass von nun an »das geringste Vergehen eines Kommissars, der Treuhänder zu sein hat, mit der allerhärtesten Strafe bedacht wird«.[3] Schließlich treten neben die ›Arisierungen‹ erzwungene Geschäftsaufgaben. Spätestens ab 1939 wird das Geschäftsleben der Juden extrem stark behindert und beschränkt. Zahlreiche ›Zwangsarisierungen‹ und Liquidationen stehen noch bevor.

Auswirkungen der Arisierungen

Die ›Arisierung‹ und ›Abwanderung‹ von ca. 100.000 der vor allem jüngeren Juden sowie die »Berufsbereinigung, Auskämmung und Rationalisierung der Betriebe gemeinsam mit sozialen Maßnahmen« sollten die Voraussetzungen für eine günstigere wirtschaftliche Entwicklung schaffen. Die ›Ariseure‹ allerdings konnten die Betriebe kaum in der alten und bewährten Weise fortführen. Der Firmenname war neu und in der Branche unbekannt, das Betriebsklima war schlecht. Und Gewinngier und Unprofessionalität der neuen Geschäftsinhaber wie auch das Fehlen von Persönlichkeit, Wissen und Erfahrung der Vorbesitzer führten zu finanziellen Schwierigkeiten.

Nutznießer neben den ›Ariseuren‹ waren die ›arischen‹ Betriebe. Die vielen Liquidationen brachten eine große Konkurrenzerleichterung. So wurde die Mehrheit der noch 1938 bestehenden ›jüdischen‹ Betriebe (ca. 26.000) liquidiert und kaum ein Fünftel davon weitergeführt. Banken und Industrie befriedigten ihre Expansionsbedürfnisse, die NS-Wirtschaftsplaner verwirklichten ihre Konzepte. Der Staat selbst profitierte von den ›Arisierungsauflagen‹. ›Vermögensverkehrsstelle‹ und ›Kontrollbank‹ schrieben bis Ende 1940 ca. 137,5 Millionen RM an Kaufpreisen und Auflagen für ›Betriebsarisierungen‹ vor, davon ca. 25 Millionen an ›Auflagen‹.[4] Noch größeren Nutzen erzielte das ›Reich‹ durch die Beschlagnahmung ›jüdischer Vermögenswerte‹, darunter auch ›Arisierungs- und Liquidierungserlöse‹ auf ›Sperrkonten‹, die durch außergewöhnlich hohe ›Vermögenssteuern‹ (z.B. ›Sühneleistung‹ und ›Reichsfluchtsteuer‹) und durch simple Beschlagnahmung eingetrieben wurden. Insgesamt konnten so einige Milliarden Reichsmark erbeutet werden, die sofort in die Rüstung flossen.

‹ S. 51

Ignaz Sass, Besitzer des Geschäftes *Tailors, Stone & Blyth*, Ende der 1920er Jahre (AN, Nr. 1042)

Arisierung *Tailors, Stone & Blyth*

Nicht zuletzt durch das Geschick seines Geschäftsführers Adlmüller konnte der Wiener Haute-Couture-Salon *Tailors, Stone & Blyth* die Kriegsjahre relativ unbeschadet überstehen. Vor dem ›Anschluss‹ führte der aus Galizien stammende Ignaz Sass gemeinsam mit seiner Frau Stefanie die in den 20er Jahren erworbene Firma. Bereits Anfang der 30er Jahre hatte sich ein junger bayrischer Hotelierssohn bei ihnen um eine Stelle beworben. Unter der Förderung der kinderlosen Sass avancierte Adlmüller bald zum Couturier und schließlich zum Geschäftsführer, nachdem die Besitzer im Winter 1938 zur Emigration nach London gezwungen worden waren.

Bereits am 15. Juli 1938 trägt Sass in das Formular »Verzeichnis über das Vermögen von Juden nach dem Stand vom 27. April 1938« seinen Salon samt zwei Geschäftsstellen in Bad Gastein mit einem Wert von RM 40.000,00 ein. Dazu kommen eine Versicherungspolizze (RM 1.719,00) und Schmuck (RM 1.070,00). Zu diesem Zeitpunkt wird das Geschäft bereits von dem ›Arier‹ Franz Keller, der nun allein vertretungsbefugt war, als ›kommissarischem Verwalter‹ geführt. Als Qualifikation für diese Tätigkeit genügten den Machthabern ein nicht abgeschlossenes Studium der Elektrotechnik, eine ›fachmännisch und kauftechnische Ausbildung‹ im väterlichen Betrieb sowie die frühzeitigen Beitritte in den *Nationalsozialistischen Studentenbund* (1931) und in die *SA Margarethen* (Frühsommer 1934; SA = Sturmabteilung, uniformierte und bewaffnete politische Kampftruppe der NSDAP).

Im August 1938 meldet Sass sein Unternehmen bei der ›Vermögensverkehrsstelle‹ zum Verkauf an. In einer ›Exekutivkomiteesitzung‹ der ›Vermögensverkehrsstelle‹ vom 24.11.1938 wird der Betrieb an den einzigen Bewerber, Dr. Heribert Schindelka aus der Filmbranche, veräußert. »Jude erhält RM 5.000,00, arischer Bewerber zahlt RM 16.000,00, ist Nichtfachmann«, so der lakonische Kommentar. Ignaz Sass wird der Kaufpreis auf einem Konto der ›Kontrollbank‹ gutgeschrieben: »Über dieses Kontoguthaben kann Herr Ignaz Sass zur Bedeckung der Ausreisekosten und zur Abstattung inländischer Verbindlichkeiten frei verfügen.«[5] So erhält der ›Jude‹ gerade ein Achtel von dem Wert, auf den er seinen Betrieb laut ›Vermögensanmeldung‹ Mitte Juli 1938 geschätzt hatte.

Entrée des Geschäftes
Tailors, Stone & Blyth, 1930er Jahre
(AN, Nr. 593)

Tailors, Stone & Blyth ist eines der wenigen ›arisierten‹ Konfektions-
unternehmen, das die gesamte Kriegszeit weiterarbeiten kann:
»Die Geschäfte gehen nach wie vor gut (...), *Stone & Blyth* veranstaltet, vom umtriebigen Herrn Schindelka organisiert, im Gasteiner
Hotel Kaiserhof Modeschauen, bei denen die Damen Schirach und
Göring Wiener Chic bestaunen.« [6] Mit Kriegsbeginn werden allerdings
auch hier die Arbeitsbedingungen schwieriger. Private KundInnen
gibt es kaum und die Materialbeschaffung wird immer komplizierter,
da die Stoffe aus dem ›Deutschen Reich‹ kommen müssen und
keinesfalls wie früher im Ausland gekauft werden dürfen.

Trotzdem, zweimal jährlich werden Modeschauen veranstaltet,
zuerst im Wiener *Haus der Mode*, danach im eigenen Salon. Und
weil für Filmausstattungen noch Material zur Verfügung gestellt
wird, beginnt *Stone & Blyth,* sich auf den Entwurf von Filmkostümen
zu verlegen. Film- und Theaterstars wie Margot Hielscher, Paula
Wessely, Marika Rökk und Zarah Leander legen Wert darauf, auch
auf der Bühne ein Ensemble von *Stone & Blyth* zu tragen. Adlmüller
entwirft noch 1944/45 für den ersten Willi Forst-Farbfilm *Wiener*

Großer Salon des Geschäftes
Tailors, Stone & Blyth, 1930er Jahre
(AN, Nr. 593)

Mädeln die Kostüme, insgesamt 1.750 Modelle. Die Stoffe dafür werden aus allen Teilen des ›Deutschen Reichs‹ aufgetrieben. Und sogar die Stoffreste davon werden für die erste Modenschau nach Kriegsende weiterverwendet, die Ende 1945 im Salon *Stone & Blyth* stattfindet: Die Kollektion ist laut Zeitungsmeldung des *Neuen Österreich* vom 11. 11. 1945 »nicht zu umfangreich gehalten, aus edelstem Material hergestellt« und kann »an den verpflichtenden noblen Stil der Wiener Mode vor 1938« anknüpfen.« [7]

Das Rückstellungsverfahren

Fred Adlmüller, der schon während der Kriegszeit die Geschäfte geführt und die künstlerische Leitung des Salons innehatte, wird nach Kriegsende zum »öffentlichen Verwalter« des Salons bestellt. Ignaz Sass lässt von London aus über seinen Wiener Anwalt ein ›Rückstellungsverfahren‹ einleiten. Am 13. 7. 1948 bescheidet die ›Rückstellungskommission‹, »dass vom Rückstellungsgegner sofort

Fred Adlmüller vor der Filiale von
Stone & Blyth Nf. W. F. Adlmüller
G. M. B. H. in Bad Gastein, 1950er Jahre
(AN, Nr. 1039/1)

bei Exekution das von ihm hinter dem Firmenwortlaut Stone & Blyth Nachfolger Dr. Heribert Schindelka (...) samt Filialen in Bad Gastein (...) betriebene Unternehmen in jenem Ausmaße und Zustande, in welchem sich das genannte Unternehmen heute befindet, dem Rückstellungswerber zurückzugeben« sei. [8]

Im Jahr 1948 geht der Salon wieder in das Eigentum des rechtmäßigen, früheren Besitzers über. Das Ehepaar Sass kehrt am 17. Juni 1949 aus dem Londoner Exil nach Wien zurück und zieht wieder in die alte Wohnung im Ersten Bezirk. Damit gehören die Sass zu den ganz wenigen Juden, die das ›Dritte Reich‹ überlebt haben, zurückkehren konnten und ihren früheren Besitz zumindest teilweise, weil durch den Krieg ihr Salon wie die meisten anderen Unternehmen ruiniert war, wieder zurückerstattet bekamen. Bald darauf lässt Ignaz Sass die *W. F. Adlmüller GmbH.* ins Handelsregister eintragen und führt den Salon nun gemeinsam mit dem ehemaligen Lehrling. Im Jahr 1950 übernimmt sie Adlmüller gegen Zahlung einer Leibrente zur Gänze. [9]

Der ›Ariseur‹ Schindelka, der neben *Stone & Blyth* noch eine Krawattenfabrik im Zweiten Wiener Gemeindebezirk ›arisiert‹ hatte, erhob wiederholt Einspruch gegen laufende Gerichtsverfügungen: So z. B. gegen die Beschlagnahmung seines in Österreich befindlichen Vermögens. Er hielt sich nach Kriegsende in Deutschland auf und geriet dort in amerikanische Kriegsgefangenschaft. Lange Zeit zog er es vor, nicht nach Österreich zurückzukehren, und lebte später in München und Hamburg. Ab 1980 war er wieder in Wien gemeldet.

Epilog – Nachwirkungen

Betrachtet man die Geschichte der Rückstellungen und Restitutionen seit 1945, so zeigt sich, dass das ungeheure Ausmaß des Vermögensraubes im ›Dritten Reich‹ immer wieder unterschätzt worden ist. Barbara Prammer, Nationalratspräsidentin und Kuratoriumsvorsitzende des 2001 gegründeten ›Allgemeinen Entschädigungsfonds‹, bringt es auf den Punkt: »Wenn ich heute sehe, dass wir mit den 210 Millionen Dollar wahrscheinlich nicht viel mehr als zwölf Prozent der vom Antragskomitee festgestellten Antragssumme entschädigen werden können, dann wird uns erst das Ausmaß dessen klar, was den Menschen weggenommen wurde!« [10]

1 | Bericht Bürckels an Hermann Göring, Beilage zum Schreiben vom 18.11.1938. Zit. Nach: Helmut Genschel: Die Verdrängung der Juden aus der Wirtschaft im Dritten Reich. In: Göttinger Bausteine zur Geschichtswissenschaft. Göttingen/Berlin/Frankfurt/Zürich 1966. Bd. 38, S. 162

2 | Völkischer Beobachter, 26.4.1938. S. 2. Zit. Nach: Gerhard Botz: WIEN vom Anschluß zum Krieg. Nationalsozialistische Machtübernahme und politisch-soziale Umgestaltung am Beispiel der Stadt Wien 1938/39. Wien/München 1978. S. 248

3 | Vgl. Bekanntmachungen Bürckels, 28.6.1938, Bürckel Materie, Karton 5/12, Archiv der Republik

4 | Vgl. Fuchs, Gertraud: Die Vermögensverkehrsstelle als Arisierungsbehörde jüdischer Betriebe. Diplomarbeit, Wien 1989. S. 205. Schubert nennt weit höhere Zahlen: Arisierungsauflagen ca. 40,3 Millionen RM. Vgl. Schubert, Karl: Die Entjudung der österreichischen Wirtschaft 1933-45. Wien 1957. S. 125

5 | Notariatsakt, 29.11.1938. VVSt. VA 44215, ST 7807, Österreichisches Staatsarchiv

6 | Schill, Herbert: Fred Adlmüller. Der Schönheit zu Diensten. Amalthea, Wien – München 1990. S. 34 und 36

7 | Vgl. Kapitel Nationalsozialistische Institutionen zur Förderung der ›Arisierung‹ des Textilsektors und des Exports der ›arischen‹ Mode. Und Kapitel: Tailors Stone & Blyth – Chronologie einer ›Arisierung‹. Beide in: Sultano, Gloria: Wie geistiges Kokain … Mode unterm Hakenkreuz. Wien 1995. S. 133–151 und S. 221–270

8 | Bescheid des Bundesministeriums für Vermögenssicherung und Wirtschaftsplanung, 27.6.1948. Handelsgericht Wien, Hauptband »Stone & Blyth Nchf. Dr. Heribert Schindelka KG«.

9 | Vgl.: »Gratuliere, der g'fällt mir sehr gut!« – Interview mit Hella Wessely über Tailors Stone & Blyth. In: Sultano: Wie geistiges Kokain. S. 276–280

10 | Vgl. Ö1 »Radiokolleg«-Interview, 10.–13.03.2008
11 | Vgl. http://www.oldenbourg.at/histkom/

›Arisierung‹ und ›Wiedergutmachung‹ – dieses Thema ist bis heute nicht abgeschlossen und sorgt in Österreich in den letzten Jahren immer wieder für Aufregung. Nicht nur Firmen und Banken, auch die Parteien und schließlich der Staat selbst haben sich noch im Österreich der Nachkriegszeit bereichert. Die von der Regierung eingesetzte ›Historikerkommission‹ untersuchte zwischen 1998 und 2003 detailliert, wie nach Kriegsende mit jüdischem Eigentum und jüdischen ›Reemigranten‹ umgegangen wurde. Die Ergebnisse liegen heute in gedruckter Form in 49 Bänden und digital vor. [11]

Gloria Sultano, Mag. Dr. phil., Kulturhistorikerin, Publizistin, Dokumentarin. Studium der Geschichte und Publizistik an der Universität Wien, Sponsion 1991, Promotion 1994. Forschungsschwerpunkte: Zeitgeschichte, Oral History, Alltagsgeschichte, Kulturgeschichte. Autorin von: Wie geistiges Kokain …, Mode unterm Hakenkreuz, Wien 1995. Oskar Kokoschka. Kunst und Politik 1937–1950, Wien-Köln-Weimar 2003 (gemeinsam mit Patrick Werkner).

Hilde Bartosch

Eine nahe Mitarbeiterin erzählt über ihre Arbeit im Salon Adlmüller

Niederschrift: Annemarie Bönsch

Das Modellhaus Adlmüller erlebte zu jener Zeit, als ich in den Salon eintrat, einen Höhepunkt. Es gab ca. 70 Mitarbeiter und Erna Postler – Adlmüllers Manipulantin und damalige rechte Hand, die von der Stunde Null immer an seiner Seite gewesen war und ein strenges Regiment führte. Die Struktur des Betriebes teilte sich in drei Werkstätten: die ›Englische‹, die ›Französische‹ und die Herrenwerkstätte, jeweils mit den üblichen hervorragenden Fachkräften besetzt. Dazu kamen fünf Verkaufsdamen im Salon, dementsprechend vier Herren in der Herrenabteilung, zwei Damen in der damals noch kleinen Prêt-à-Porter-Boutique, zwei Hausmannequins und ein Chauffeur. Die Zahl der Mitarbeiter wurde vervollständigt durch die Angestellten der Strickerei, der Buchhaltung und nicht zuletzt durch die Manipulantinnen. Die administrative Leitung hatte ein enger Freund Adlmüllers, Direktor Norbert Hotter, über. Neben dem Wiener Standort existierten zu dieser Zeit zwei weitere Firmen: der Haute-Couture-Salon in München und ein Geschäft für Damen und Herren in Bad Gastein.

Um in diesem Unternehmen zu bestehen, war größter Einsatz erforderlich. Adlmüller konnte zwar seine Mitarbeiter zu Höchstleistungen motivieren, gewöhnte sich aber anfangs nur schwer an sie. Diese Erfahrung sollte auch ich machen: Es war sein Wunsch, alle Zeichnungen von den Modellen der neuen Kollektion nicht nur naturgetreu, sondern auch rasch auszuführen.[1] Für seinen Münchner Salon entwarf er ebenfalls eine dem dortigen Kundenkreis angepasste Kollektion. Im März und im September gab es in Wien ein großes Defilee, in das auch die Münchner Kollektion eingebunden wurde. Es herrschte immer großer Trubel, wenn die Modelle (ca. 35 Stück) aus München in Kisten verpackt ankamen. Mittendrin versuchte ich, so schnell als möglich, die Modelle zeichnerisch festzuhalten. Einen Tag später sollte die Kollektion ja nach München zurückgehen. Es war für mich eine aufwändige Tätigkeit, die nur mit größter Konzentration erledigt werden konnte. Für Adlmüller stand es außer Zweifel, dass meine diesbezügliche Arbeit – es handelte sich immerhin um ca. 80 kolorierte Zeichnungen – trotz aller anderen Aufgaben, die für das Gelingen einer Modeschau zu erledigen waren, zwei Tage später im Salon aufzuliegen hatten. Folglich machte ich Überstunden. Spät abends spürte ich förmlich Adlmüllers bohrende Blicke im Rücken. Statt Lob zu ernten, fuhr er mich lautstark an: »Wie lange brauchen Sie eigentlich noch?« ... Da wurde ich plötzlich zornig. Ich fühlte mich zutiefst getroffen und warf ihm – zwar mit

Entrée-Salon im ersten Stock
des Geschäftes *W. F. Adlmüller*,
nach 1968 (AN, Nr. 925/3)

klopfendem Herzen – das Zeichenbrett mit den Worten: »… suchen
Sie sich eine Schnellere als mich!« vor die Füße. Dann lief ich in eine
der Werkstätten zum Waschbecken, um meine fließenden Tränen
abzuwischen. Auf einmal ging leise die Türe auf – es war übrigens
Adlmüllers Angewohnheit, eine Türschnalle nicht direkt, sondern
mit einem Taschentuch in der Hand anzugreifen. Er trat ganz leise
hinter mich und sagte zu mir: «Weinen Sie nicht, ich schreie nur mit
jemandem, den ich gern habe!« Ab diesem Moment war ich sein
»Hildchen«.

Fred Adlmüllers Führungsstil war sehr autoritär – angesiedelt
zwischen Zuckerbrot und Peitsche. Trotzdem nannten wir ihn untereinander stets liebevoll »Adi«. Unter seiner ruppigen Schale verbarg
sich ein weicher Kern. Hatte einer seiner Angestellten Schwierigkeiten oder Sorgen, war er stets bereit ihm zu helfen. So streng er
auch mit uns umging, nach außen hatte er das »beste Personal der
Welt« – dafür liebten wir ihn. Außerdem war er für uns ein großes
Vorbild. Sehr diszipliniert war er jeden Tag von früh bis 1 Uhr mittags
und von 4 Uhr nachmittags bis abends anwesend.

Hilde Bartosch, Modezeichnungen
nach W. F. A., aus der Kollektion
Defilée romantique, 1984: Abendkleid
mit Cape *Sphinx*, Kleid mit Mantel
Eau de Vienne, Kostümensemble
mit Mantel *Bond Street*, dreiteiliger
Hosenanzug *Alraune* (S. 62), Kleid mit
Jacke *Windsor* (S. 63) (Stiftung Bartosch)

Sehr oft kam es vor, dass er morgens seine engsten Vertrauten in
sein Büro rief, um ihnen die am Vortag erlebten ›stories‹ zu erzählen,
wohl nicht ohne Absicht. Denn so lernten wir, mit großer Sensibilität
auf unsere elitären Kunden einzugehen. Was mich betraf, durfte
ich oft seine berühmten Dekorationen für private Gäste in seiner
Wohnung – gleichsam als ›Fachfrau‹ – bewundern. Das Design der
dazugehörigen Speisekarte, die dann auf einem noblen Notenstän-
der präsentiert wurde, war immer von mir gestaltet.

Dekorationen und Schaufenstergestaltungen waren ihm übrigens immer ein großes Anliegen. Er bezeichnete sie als »Visitenkarte
des Geschäftes«. So kam es nicht von ungefähr, dass er mich eines
Tages in eine Auslage setzte und mir das Arrangement überließ.
Diese Aufgabe bereitete mir weiterhin große Freude, da ich hier mein
künstlerisch-dekoratives Talent ausleben konnte. Zweimal wöchent-
lich mussten alle Fenster gewechselt werden. Im Laufe der Zeit
sammelte sich ein riesengroßer Fundus an Dekorationsmaterial an,
aus dem wir immer wieder neue Kreationen zauberten. Das ›Schau-
fensterschauen‹ wurde zu einem beliebten Zeitvertreib der Wiener.[2]

Neben diesen oft selbst gefertigten Dekorationen hatte ich
zweimal Gelegenheit, an Bühnenausstattungen mitzuarbeiten.
Einmal für *Arabella*[3] und das zweite Mal für die *Fledermaus*[4] an der
Volksoper. Es war eine spannende Herausforderung. Die Kostüme
für die so genannten ›Nebenfiguren‹ durfte ich entwerfen. Die
spektakuläre Fledermaus-Inszenierung lief übrigens bis 1987[5] mit
großem Erfolg – spektakulär ob des ›Farbenrausches‹. Farben spielten in Adlmüllers Leben immer eine besondere Rolle.

Die Salons im Modellhaus waren allerdings in zurückhaltendem
Beige gehalten – trotzdem lebhaft durch den seidigen Glanz der
Damastvorhänge im Muster der Bourbonen-Lilie. Das Beige schuf
nicht nur einen neutralen Hintergrund zu den Farben der Modelle,
sondern ließ auch die Damen in weichem Licht förmlich erstrahlen.
Diese von Adlmüller »cosig« genannte Atmosphäre war ihm sehr
wichtig. Der Farbakkord in Beige wiederholte sich schließlich in der
Kleidung der ›Verkaufsdamen‹, die sich nun – im Gegensatz zu ihrem
früheren schwarzen Outfit – kontrastlos in die Umgebung einfügten.
Im Gegensatz dazu stand die schlichte Ausstattung des so genannten ›Studios‹.[6]

Die Stoffe für die Modelle wurden überwiegend bei großen französischen Erzeugern bestellt. Zubehör wie exquisite Knöpfe oder
Stickmaterial wurden im Konfektionsviertel von Paris im Bereich der

BOND STREET
8438

ALRAUNE
8451

WINDSOR
84 28

Einladungskarte *La Nuit bleue de la Mode* von Maître Leherb zu Ball und Modegala in der Wiener Hofburg, 15. März 1984 anlässlich des 75. Geburtstages von Fred Adlmüller

Mannequin Charlotte Telkes in einem Modell der Frühjahrskollektion 1968
(AN, Nr. 926/15)

Rue du Caire – einer wahren Fundgrube – eingekauft. Auch heute ist dieser Bereich nur Großhändlern und Designern vorbehalten. Die Genialität der Modelle wurde durch dieses Beiwerk hervorgehoben. Daneben bildeten die kunstvoll drapierten Seidenjerseykleider, die seine Kundinnen so sehr schätzten, eine kreative Besonderheit. Für jede Kollektion entwarf Adlmüller als erstes Modell ein schwarzes Kleid nach dem Vorbild von YSL, dem er übrigens als einzigem Designer große Achtung entgegenbrachte. Natürlich ließ er auch Eindrücke seiner vielen Weltreisen in die Kollektionen einfließen. Weltweite Kontakte entstanden, Künstler gingen bei ihm ein und aus – Maître Leherb, der zu seinen engsten Freunden zählte, entwarf als Hommage an die Mode das Cover einer Einladung anlässlich von Adlmüllers 75. Geburtstag.

Kaum jemand wusste, dass viele gesellschaftspolitische Fäden in seiner Wohnung zusammenliefen. So war es nicht verwunderlich, dass wir bei den Staatsbesuchen von der Regierung über das Außenamt verständigt wurden, wenn ein Damenprogramm zu organisieren war: Ein Besuch im ›Salon Adlmüller‹ durfte dabei nicht fehlen. Ich habe sie alle kennen gelernt: Königin Sirikit von Thailand, Königin Margarethe von Dänemark, König Hussein mit seiner Gemahlin, Nixons Gattin, Ismelda Marko, Gadaffis Frau, arabische Scheichs und Prinzessinnen … , um nur einige zu nennen. In der Folge ließen sich auch manche Besucherinnen Kleider anfertigen, was bisweilen zu erheblichen Schwierigkeiten führte, wenn man z. B. arabische Prinzessinnen beim Maßnehmen nicht berühren durfte.

Mit Stolz, aber auch voller Zweifel, ob er der Berufung gewachsen sein würde, nahm er eine Professur an der damaligen Hochschule für angewandte Kunst an. Zu diesem Zeitpunkt gab er den Salon in München auf, und Bad Gastein folgte kurz darauf – dies alles, um sich seiner neuen Aufgabe mit der erforderlichen Intensität widmen zu können. Als ihm der Professorentitel verliehen worden war, wünschte Adlmüller mit ›Professor‹ angesprochen zu werden. Das Modellhaus war inzwischen nach einem Großbrand (1968) und der bald nach der Renovierung erfolgten Untervermietung des ersten Stockwerkes an das Casino stark verkleinert worden. Im Parterre wurde der entstandene Raumbedarf durch die Umgestaltung der ehemaligen Pferdestallungen zu prunkvollen Salons gedeckt.

Unvermindert groß war nach wie vor die Bedeutung des ›Modezaren‹, wie ihn die Wiener nannten. Der Höhepunkt aller Veranstaltungen im Fasching war und ist der Opernball. Adlmüller genoss ihn

Auslage des Geschäftes *W. F. Adlmüller*,
1970er Jahre (AN, Nr. 640)

Hilde Bartosch und Fred Adlmüller
beim Krampusfest im Lokal *10er Marie*
in Wien, 1970er Jahre

‹

Mannequin Charlotte Telkes in einem
Modell der Frühjahrskollektion 1968
(AN, Nr. 926/14)

in besonderem Maße. Nicht nur wegen der überaus wichtigen gesellschaftlichen Kontakte, sondern er konnte sich unglaublich am Anblick der Damen, die seine Modelle trugen, erfreuen. Alle Medien warteten gespannt darauf, welches Modell die Opernball-Lady Lotte Tobisch tragen würde – es handelte sich selbstverständlich jedes Jahr um eine neue Kreation.

Neben aller Medienpräsenz blieb Adlmüller ein sehr gläubiger Mensch, der jeden Tag die dem Palais gegenüberliegende Annakirche besuchte. Kurz vor seinem Tod konnte sich der ›Showmensch‹ Adlmüller noch einen Wunschtraum erfüllen. Anlässlich seines bevorstehenden 80. Geburtstags erhielt er von der Stadt Wien – gleichsam als Geschenk – die Erlaubnis, im Schloss Schönbrunn ein großes Geburtstagsfest mit anschließender Galamodenschau ausrichten zu dürfen. Es waren 1.200 Gäste zum Diner geladen. Dieses glanzvolle Fest wird allen, die es erleben durften, in Erinnerung bleiben. Es sollte sein letztes großes Fest bleiben – am 26. September 1989 verstarb Adlmüller in Wien. Die Modenwelt trauerte um einen großen Couturier!

So sehr er seinem Lebenswerk verbunden war, sorgte er für keinen Nachfolger. »Hinter mir die Sintflut«, meinte er nur. Erst zuletzt hoffte er, dass die Firma Palmers, an die er verkaufte, den Salon in seinem Sinn weiterführen würde ...

Hilde Bartosch trat im Jahr 1959 als Absolventin der Modeschule der Stadt Wien in Schloss Hetzendorf und geprüfte Schneidergesellin in den Salon Adlmüller ein, um für die Meisterprüfung ein Praktikum zu absolvieren. Damals wurde auch eine Zeichnerin gesucht, da Fred Adlmüller zwar über eine außergewöhnlich schöpferische Begabung verfügte, seine Ideen jedoch nur in Form von einfachen Skizzen zu Papier bringen konnte. Da sie für den Verkauf und den Umgang mit anspruchsvollen Kunden besondere Begabung zeigte, wurde sie schließlich selbst Directrice des Salons, wo sie allgemein als »Frau Hilde« bekannt war. Sie avancierte zur engsten Vertrauten und Mitarbeiterin Fred Adlmüllers.

1 | Siehe Beitrag von Carmen Bock
2 | Siehe Beitrag von Uta Krammer
3 | Münchner Festspiele 1965
4 | Siehe Beitrag von Annemarie Bönsch
5 | Siehe Beitrag von Annemarie Bönsch
6 | Siehe Beitrag von Carmen Bock

Adlmüller-Modelle aus der Kostüm- und Modesammlung der ›Angewandten‹

Fotografie: Rudi Molacek
in Kooperation mit Wolfgang Zajc

01 | W. F. A., Abendkleid, pistaziengrüne Seide, Glasperlen, Glasstifte, Strass, Pailletten, Glanzstickgarn, 1960er Jahre, getragen von Irmgard Seefried
(KMS, Inv.Nr. KM 5477)

02 | W. F. A., Abendkleid mit Mantel, cremefarbiger Mikado, Glasperlen, Glasstifte, Strass, Pailletten, 1960er Jahre
(KMS, Inv.Nr. KM 4831/4832)

03 | W. F. A., Abendkleid (Detail), türkise Shantungseide, Kunststoffperlen, Strass, Kristallsteine, Glasstifte, 1960er Jahre, getragen von Irmgard Seefried
(KMS, Inv.Nr. KM 5475)

04 | W. F. A., Abendkleid (Detail), bunt geblümter Jacquard, Kunststoff- und Glasperlen, Kunststoff- und Glasstifte, Strass, Pailletten, 1970er Jahre
(KMS, Inv.Nr. KM 4844)

05 | W. F. A., Korsagen-Abendkleid, kirschroter Seidenrips, Glasperlen, Glasstifte, Strass, Pailletten, um 1960
(KMS, Inv.Nr. KM 4834)

06 | links | W. F. A., Abendkleid, weißer Duchesse, schwarzer und zyklamfärbiger Samt, 1960er Jahre
(KMS, Inv.Nr. KM 5289a)

rechts | W. F. A., Abendkleid, weißer Moiré mit buntem Blumendruck, weißer Tüll, bunte Pailletten, 1989
(KMS, Inv.Nr. KM 3748)

07 | links | W. F. A., Abendkleid, blassrosa Taft, Glasperlen, Glasstifte, Strass, Glastropfen, Seidenblume, weißer Tüll, 1955
(KMS, Inv.Nr. KM 4836)

rechts | W. F. A., Abendkleid, grüner Seidenjersey, grünes Duchesseband, 1970er Jahre
(KMS, Inv.Nr. KM 5288)

08 | W. F. A., Abendkleid (Detail), weinroter Samt, Kunststoff- und Glasperlen, Glasstifte, Strass, 1960er Jahre
(KMS, Inv.Nr. KM 4958)

09 | W. F. A., Cocktailkleid in Plisséetechnik, weißer Crepe Georgette, Strass-und Glasperlen, Glasstifte, um 1975
(KMS, Inv.Nr. KM 4433)

10/11 | links: Boutique *W. F. Adlmüller*, Kleid mit Mantel, weiße Seide und Seidenvoile mit großem Tupfendruck in grau/beige/braun, 1960er Jahre
(KMS, Inv.Nr. KM 4981a, b)

rechts: W. F. A., Winterkostüm mit Pelzkragen und -manschetten, braun/schwarz/weiß/beiger Wollstoff, brauner Pelz, braungoldene Knöpfe, 1960er Jahre
(KMS, Inv.Nr. KM 5270 a, b)

12 | W. F. A., Kleid mit Mantel, weißes und grünes Leinen mit Ajournähten, Kunststoffknöpfe, 1970er Jahre
(KMS, Inv.Nr. KM 5882 a, b)

13 | W. F. A., Hosenanzug mit Bustier und Gürtel, weißer Samt mit buntem Blumenmuster, weiß-goldene Knöpfe (Blazer), weißer Köper (Hose), 1970er Jahre
(KMS, Inv.Nr. KM 5285 a-d)

14 | W. F. A., Kostüm mit Mantel, beige/grau/weiß karierter Wollstoff bzw. grau-beige/grau/weiß karierter Double-Wollstoff, goldene Metallknöpfe, Anfang 1980er Jahre
(KMS, Inv.Nr. KM 5279 a, b)

15 | W. F. A., Ärmellose Bluse, perlweißer Satin, schwarzer Samtstreifen, schwarze Glasperlen, Glastropfen, Glasstifte, Pailletten, 1960er Jahre, getragen von Irmgard Seefried
(KMS, Inv.Nr. KM 5478)

01

04

07

10

11

12

13

14

15

Carmen Bock

Der Couturesalon W. F. Adlmüller: Ein Blick hinter die Kulissen

Das Geschäft von Fred Adlmüller befand sich im Palais Esterházy in der Kärntner Straße 41 im 1. Wiener Gemeindebezirk, ein sehr ehrwürdiger und eleganter Sitz für einen Modeschöpfer. Sein Wohnsitz war in der Mahlerstraße, sozusagen gleich ums Eck. Beides lag in der unmittelbaren Nähe der Wiener Staatsoper.

In diesem Opernhaus findet jährlich der weltberühmte Wiener Opernball[1] statt. Dieser Ball ist für den Wiener Fasching die bedeutendste Veranstaltung. Aber auch für die Republik Österreich ist der Wiener Opernball sehr wichtig. Als Ball der Republik[2] dient er auch für Staatsempfänge. Im Jahre 1978 wurde erstmals der Opernball in das offizielle Programm eines Staatsbesuchs integriert. Es war der spanische König Juan Carlos mit seiner Gemahlin Königin Sophia eingeladen.[3]

Die Damen der Wiener und österreichischen Gesellschaft und aus dem Ausland kleideten sich für diesen besonderen Abend gerne bei Adlmüller ein. Sie kamen aus Kreisen der Kunst, Kultur und Industrie, aus Adelshäusern und der Politik. Hilde Bartosch[4] weiß zu berichten: »Die Bälle waren noch glanzvoller als heute. Speziell der Opernball! Wochen zuvor nahmen wir schon Aufträge der Kunden aus dem In- und Ausland entgegen. Da der Opernball immer an einem Donnerstag stattfand, verbrachten die meisten eine ganze Woche in Wien und belebten mit ihrer guten Stimmung die Wiener Innenstadt. Friseure, Hotels, Geschäfte und Lokale durften sich über gute Umsätze freuen. Es lag ein besonderes Flair über der Stadt. Man war unter sich ...«[5]

Neben dem Wiener Opernball gab es noch viele andere Veranstaltungen wie Empfänge, Bälle und natürlich die Salzburger Festspiele. Die Damen kamen, man könnte auch sagen sie pilgerten, schon Wochen vor diesen Anlässen in Adlmüllers Salon, um sich von dem Couturier einkleiden zu lassen. Bei Staatsempfängen war für das Damenprogramm stets ein Besuch im Modesalon *W. F. Adlmüller* eingeplant. Es kamen aber auch gekrönte Häupter privat in das Geschäft und kauften ein. Sehr begehrt waren seine Kreationen vor allem in Jordanien, Saudi Arabien, Asien, Amerika und natürlich auch in Europa.

Die Stärke des Modeschöpfers Adlmüller war es, für die Damen exquisite Abendkleider zu kreieren. Es war ihm ein besonderes Anliegen, die Damen mit kostbaren Stoffen und edlen Materialien noch schöner zu machen. Deshalb waren die großen Abendroben seine Hauptmodelle. Aber auch viele Tageskleider, Kostüme und Mäntel hat er entworfen, und diese wurden ebenfalls in den Werkstätten

MÜNCHEN *W.F.* Adlmüller BADGASTEIN

Königin Sirikit von Thailand auf
Staatsbesuch in Wien. Fred Adlmüller
begrüßt sie mit Handkuss vor seinem
Geschäft, 1965 (AN. Nr. 1016/3)

des Couturesalons angefertigt. In den 1950er und 1960er Jahren
hatte die Haute Couture[6] ihre Blütezeit. In den 1970er und 1980er
Jahren veränderte sich die Verarbeitung in der Haute Couture in
bestimmten Bereichen, die Konfektion hielt Einzug. Es entstanden
auch immer mehr Boutiquen, Modehäuser und Modeketten, die Kon-
fektionsware anboten. Aber traditionelle Häuser wie *W. F. Adlmüller*
hielten der Haute Couture die Treue. Er stellte immer einen sehr
hohen Anspruch an die Qualität, den er mit hochwertigen Stoffen,
perfekter Handarbeit und Maßanfertigung erfüllte. Dies haben die
Kundinnen auch vorausgesetzt.

Die Entstehung einer großen Abendrobe in den 1960er Jahren

Es ist aufschlussreich zu erfahren, wie eine große Abendrobe mit
Perlenstickerei in dieser Zeit entstand. Jedes Modell wurde speziell
für eine Kundin nach Maß angefertigt, und es wurde sehr viel mit der
Hand genäht. Die Schnittkanten wurden mit der Hand umwindelt und

nicht mit der Maschine versäubert, Druckknöpfe wurden mit Futter-
seide überzogen, Schulterpolster extra angefertigt und noch vieles
mehr. Es gab zwei verschiedene Arten, sich eine große Abendrobe
auszuwählen. Die eine Möglichkeit war, sich ein Einzelmodell anfertigen zu lassen, und die zweite, sich ein Modell aus der Kollektion
auszusuchen.

Das Einzelmodell

Bei dem Einzelmodell musste die Kundin schon zwei bis drei Wochen
– wenn das Abendkleid auch eine aufwändige Stickerei hatte, bis zu
vier Wochen – vor der Fertigstellung des Kleides in den Salon kommen. Wenn eine neue Kundin kam, führte Fred Adlmüller zuerst ein
Gespräch mit ihr, um sie kennenzulernen. Durch sein großes Einfühlungsvermögen und Empfinden hatte er die Gabe, ganz auf die
Kundinnen einzugehen. Einige Damen hatten schon bestimmte
Wünsche, etwa wie lange die Ärmel sein sollten, aber ansonsten
verwirklichte der Modeschöpfer seine Ideen und überzeugte sie von
seinen Kreationen. Es gab aber auch Kundinnen, die ohne genaue
Vorstellungen gekommen waren und sich ganz auf ihn verließen.
Andere wiederum hatten schönen Schmuck und wollten zu ihrem
Brillant- oder Rubinkollier ein Abendkleid. Zu diesem Zweck brachten
sie die kostbaren Stücke mit, damit er seine Entwürfe darauf ab-
stimmen konnte. Auch bei den Anproben wurde bei der Gestaltung
des Ausschnittes das Kollier berücksichtigt. Oft überlegte er lange,
welche Farbe am besten zur Kundin passen würde, und machte sich
viele Gedanken über das Modell, ehe er die Entwürfe skizzierte.

Die Entwurfsskizzen wurden dann von Hilde Bartosch in Modezeichnungen umgesetzt. Je nach dem, wie viel Zeit bis zum nächsten Besuch der Dame war, wurden die Zeichnungen auch koloriert.
Da Frau Hilde bei den Besprechungen und Anproben meistens dabei
war und sie Fred Adlmüller genau kannte, wusste sie, wie er sich
seine Kreationen vorstellte. Vereinzelt gab es zusätzliche Besprechungen zwischen Entwerfer und Zeichnerin, und dementsprechend
fertigte Frau Bartosch die Zeichnungen an. In der Regel wurde der
Kundin versprochen, dass sie in zwei Tagen die Entwürfe sehen
könne. Beim nächsten Besuch wurden ihr die Entwürfe vorgelegt,
und wenn sie damit einverstanden war, rief man die Schneiderin hin-
zu, um an der Kundin Maß zu nehmen. In diesem Fall war dies die

Fred Adlmüller, Frau Karla, Leiterin
der Französischen Werkstätte,
und das Mannequin Ulrike Lacroix
bei der Anprobe eines Kollektions-
modells im Studio, 1981

Werkstättenleiterin der Französischen Werkstätte,[7] Frau Karla.
Wenn allerdings noch ein anderer Modellwunsch vorhanden war wie
zum Beispiel ein Mantel, dann wurde noch der Schneider der Englischen Werkstätte hinzugezogen, in diesem Fall Herr Pierre, denn
es wurde in getrennten Werkstätten gearbeitet.

Mit den abgenommenen Maßen der Kundin und den Vorgaben
der Modellzeichnung wurde dann in der Französischen Werkstätte für
das gewünschte Abendkleid ein eigener Schnitt gezeichnet. Mit diesem Schnitt wurde vorerst in Mollino[8] zugeschnitten und dann das
Modell zusammengeheftet. Das Mollinomodell wurde nicht an der
Kundin probiert, sondern vorerst auf einem Mannequin, wenn es eine
ähnliche Figur wie die Kundin hatte. Oder man probierte für die Zwischenproben auf der Maßpuppe der Kundin. Jede Stammkundin hatte
eine speziell auf ihre Figur aufgepolsterte Schneiderbüste. Wenn
Adlmüller dann mit dem Mollinomodell einverstanden war, wurde es
auseinander genommen, die Nahtzugaben weggeschnitten, und man
erhielt so einen Schnitt, mit dem dann der Originalstoff zugeschnitten wurde.

Eine andere Möglichkeit, um ein Modell an der Kundin probieren zu
können, war das Futterkleid. Da die Kleider meistens mit einem
Seidenfutter, Pongé, der vorgewaschen oder extra auf den Farbton
des Oberstoffes eingefärbt war, aufgefüttert wurden, war es einfacher, gleich mit diesem Futterkleid zu probieren. Bei den Proben an
der Kundin wurden die Abänderungen auf dem Futterkleid gekennzeichnet und neu übertragen. Dies wurde solange praktiziert, bis es
passte. Die Kundin konnte dann gleich die Farbe und die Silhouette
des werdenden Kleides sehen. Anschließend wurde es zertrennt,
mit den erhaltenen Einzelteilen der Originalstoff zugeschnitten,
das Futter aufgearbeitet und die einzelnen Teile zusammengefügt.

Bei einem Kleid mit einer Drapierung[9] wurde ebenfalls das
Futterkleid angefertigt und damit probiert. Die Drapierung wurde
anschließend auf das Futterkleid aufgebracht. Bei manchen Kleidern
wurde die Drapierung auf einer Korsage[10] fixiert, die vorher angefertigt wurde. Der Couturier liebte Drapierungen, und sie waren in
vielen Modellen der Schwerpunkt des Entwurfes. Wenn Couturemo-
delle zugeschnitten wurden, rechnete man nicht 2–3 cm Nahtzugabe,
sondern 10–15 cm, denn es kam vor, dass sich bei den Anproben
noch einiges veränderte. Nach dem Zuschnitt[11] wurde das Modell
zur Probe für die Kundin vorbereitet.

Die Anproben waren etwas Besonderes und die Entstehung
eines Abendkleides immer eine überaus kreative Tätigkeit. Jede
Anprobe war ein Ritual. Die Kundin wurde empfangen und in einen
der Salons[12] geführt. In jedem Salon befand sich eine Sitzgarnitur,
wo der Modeschöpfer während der Probe Platz nahm und seine
Anweisungen gab. Die Dame wurde von der Werkstättenleiterin in
einer der Kabinen oder Logen angekleidet. Diese Umkleideräume
befanden sich neben den Salons. Für die Probe ging man wieder in
den Salon, in dem sich auch Scheinwerfer, ein großer und ein kleiner
Spiegel befanden. Bei den Proben war auch die jeweilige Betreuerin
der Kundin anwesend, die Verkäuferin oder Direktrice, meistens war
es Frau Hilde. Ebenfalls waren die Schneiderin, Frau Karla und – je
nach Bedarf – Herr Pierre aus der Englischen Werkstätte anwesend.
Fred Adlmüller gab Anweisungen zur Änderung. Die Schneiderin
steckte dann um, wobei es bei den Änderungen um Millimeter ging.
Es gab drei und auch mehr Proben, zu denen die Kundin kommen
musste. Die zusätzlichen Zwischenproben fanden in der Werkstätte
statt, indem das Modell auf der Schneiderbüste der Kundin oder an
einem adäquaten Mannequin probiert wurde.

Der Couturier war sehr genau und streng bei den Proben, und es musste manches wieder aufgetrennt und solange umgeändert werden, bis er endlich zufrieden war. Vor allem auf den Gesamteindruck des Modells legte er sehr viel Wert. Auch die perfekte Verarbeitung war ihm wichtig, aber da verließ er sich auf seine Fachleute in den Werkstätten. Ganz wichtig war ihm und auch den Kundinnen, dass er, wenn das Modell fertig war, den letzten Blick auf seine Kreation warf und es für gut empfand. Des Öfteren waren die Damen in Begleitung ihrer Gatten, die ebenfalls bei Fred Adlmüller Platz nahmen und bei der Anprobe anwesend waren. Die Kundinnen kamen sehr gerne zu den Anproben, denn diese Vorgänge wurden regelrecht zelebriert. Nach jeder einzelnen Probe trank der Modeschöpfer mit seinen Kundinnen und Kunden noch Sekt und führte private Gespräche. Damit die Proben reibungslos ablaufen konnten und es bei den Terminen zu keinen Überschneidungen kam, wurde ein eigenes Buch geführt. Die Modelle, die in den Werkstätten gefertigt wurden, sollten zu diesen Terminen zur Anprobe bereit stehen. Zusätzlich trug man die Kundinnen und deren Modelle in ein weiteres Buch ein, und man erhielt dadurch einen guten Überblick, für wen die einzelnen Kleidungsstücke bestimmt waren.

Bei perlenbestickten Kleidern wurden von Fred Adlmüller neben dem Entwurf für das Kleid auch Stickmuster kreiert. Zur Umsetzung wurde die Stickerin ins Haus gerufen. Der Couturier legte die Vorgaben fest, wie er sich die Stickereien vorstellte, und sie machte daraufhin einige Vorschläge. Diese Stickmuster wurden der Kundin zur Auswahl gegeben. Während der Entstehung der Stickmuster wurde das dazugehörige Kleid an der Kundin probiert, und sobald es passte, wurde es wieder zertrennt und die zu bestickenden Teile der Stickerin übergeben, um die Stickerei durchführen zu können. Die Stickerin kam während ihrer Arbeit immer wieder zu Adlmüller, um mit ihm ihre Arbeit zu besprechen. Er ließ hauptsächlich im Atelier Hohldampf arbeiten. Das Material für die kostbaren und aufwändigen Stickereien erwarb er in Paris.

Das Kollektionsmodell

Die andere Möglichkeit war die Auswahl eines Abendkleides aus der aktuellen Kollektion. Eine Kollektion im Hause Adlmüller entstand folgendermaßen: Der Modeschöpfer zeigte stets zwei Kollektionen

Blick in die drei Salons im ersten
Stock des Geschäftes *W. F. Adlmüller*,
nach 1968 (AN, Nr. 925/7)

im Jahr, eine im Frühling und die andere im Herbst. Bevor er eine Kollektion entwarf, fuhr er immer nach Paris, um sich die Modeschauen
der Pariser Couturiers anzusehen. Er informierte sich über die
neuesten Trends. Auch die Stoffe – er bevorzugte nur hochwertige
Materialien – kaufte er meistens in Frankreich ein. Das Zubehör
wählte er ebenfalls persönlich in den jeweiligen Geschäften in Paris
aus. Sobald der Couturier mit vielen Inspirationen und edlen Materialien nach Wien zurückkehrte, begann er sofort mit den Entwürfen
für die neue Kollektion. Da die Modeschauen mit den Frühjahrskollek-
tionen in Paris im Februar gezeigt wurden und Fred Adlmüller seine
Schau bereits im März hatte, blieb nicht viel Zeit für die Herstellung
dieser Modelle. Eine Kollektion bestand aus zirka 50 Modellen. Sie
setzte sich je nach Saison aus sportlicher und eleganter Tagesklei-
dung, Cocktailkleidern und seinen berühmten großen Abendroben
zusammen. Diese Abendkleider bildeten immer den Schwerpunkt
seiner Kollektionen. Da nun eine große Anzahl von Modellen zu entwerfen und anzufertigen war, herrschte in dieser Zeit Hochbetrieb.
Am Anfang überlegte sich Fred Adlmüller ein Thema für die Kol-

lektion und gab ihr einen Titel. Dann entwarf er die einzelnen Modelle, wofür er ein kleines schwarzes Notizbuch benützte, worin er seine Ideen aufgezeichnet hatte. Er skizzierte für jedes einzelne Modell einen Entwurf, wobei er immer die Vorder- und Rückenansicht darstellte. Frau Bartosch setzte dann diese Skizzen in Modellzeichnungen um. Jeder einzelne Entwurf wurde in Form einer Modezeichnung auf ein Blatt gebracht und mit den dazugehörenden Stoffmustern versehen. Weiters bekam jedes Modell einen eigenen Namen und eine Nummer. Diese Modellzeichnungen der gesamten Kollektion wurden zu einem Modellbuch gebunden, das den Kundinnen nach der Modeschau zur Ansicht diente.

Die Entwurfsskizzen des Modeschöpfers wurden dann in die Werkstätten weitergegeben, um die Modelle anzufertigen. In der Französischen Werkstätte wurden die Abendkleider vorerst in Mollino zugeschnitten und zur ersten Probe vorbereitet. Da man noch nicht wusste, für welches Modell sich die Damen entscheiden würden, wurde auf Mannequins, die ähnliche Maße wie Kundinnen hatten, gearbeitet. Adlmüller verstand es, Vorführdamen auszuwählen, von denen sich bestimmte Kundinnen angesprochen fühlten. Dies waren die langjährigen Mannequins Helma Pach, Elsa Naumann, Margerita Ley, Charlotte Telkes und andere.[13] Die Anproben der Modelle für die Kollektion fanden ausschließlich im ›Studio‹ statt. Es befand sich im ersten Stock. In diesem Raum war ein extra angefertigtes, zweistufiges Podest, auf dem ein Stuhl stand. Auf diesem Sessel saß immer der Modeschöpfer und zeigte mit einem Stab auf jene Stellen des Modells, wo etwas umgeändert werden musste.

Bei diesen Proben für die Kollektion waren Fred Adlmüller, Frau Bartosch, die Schneiderin der Französischen Werkstätte, eventuell der Schneider der Englischen Werkstätte und das Mannequin anwesend. Wenn dann das Mollinomodell den Vorstellungen des Couturiers entsprach, wurde anschließend ein Schnitt daraus gemacht und damit das Originalmodell zugeschnitten. Beim Zuschnitt wurde wie bei den Einzelanfertigungen viel Nahtzugabe eingerechnet. Man wusste ja noch nicht, welche Kundin sich für welches Modell entscheiden würde, und es musste mit Änderungen gerechnet werden. Wenn allerdings zum Beispiel das Vorderteil bei der Kundin überhaupt nicht passte, wurde sogar ein neues Teil zugeschnitten. Nach dem Zuschnitt wurde das Modell für die weiteren Proben vorbereitet. Es wurde solange probiert und abgeändert, bis Adlmüller mit dem Stück zufrieden war. Die Modelle, die bei der

Modeschau vorgeführt wurden, waren innen nicht ausgefertigt,
um weitere Änderungen für die Kundinnen vornehmen zu können.
W. F. Adlmüller hatte auch eine Niederlassung in München, für die er
ebenfalls Kollektionen entwarf. Das Münchner Geschäft war etwas
kleiner als das Wiener Stammhaus. Bei der großen Modeschau in
Wien wurde auch die aktuelle Münchner Kollektion, die um die 30
Modelle umfasste, gezeigt. Auch die Münchner Mannequins wurden
für diesen einen Abend extra nach Wien eingeflogen. Es führten mit
den Wiener Mannequins zirka 16 Damen vor. Wenn nun der Tag der
Modeschau immer näher rückte, waren noch viele andere Arbeiten
zu verrichten. Einladungen waren zu versenden. Andere Firmen stellten Hüte, Pelze, Schuhe und sonstige Accessoires zur Verfügung.
Auch an Musik und Catering musste gedacht werden.

Die Modeschauen fanden vor dem Brand von 1968 und der
darauf folgenden Renovierung in den drei Salons im ersten Stock
statt.[14] Durch einen zusätzlichen Umbau wurden die Salons ins
Parterre verlegt. Ein neuer großer Salon und ein kleiner Salon entstanden, in denen von nun an die Modeschauen gezeigt wurden.
Ebenfalls befanden sich im Parterre die Boutique, Verkaufsräume
und die Herrenabteilung. Diese Räume wurden so ausgestattet,
dass 250 geladene Gäste Platz fanden. Für diesen Anlass war
die Sitzordnung natürlich sehr wichtig. Es war nicht immer leicht,
den Wünschen der Kundinnen und denen des Hausherrn gerecht
zu werden. Viele Jahre war die Platzeinteilung die Aufgabe der
Mitarbeiterin Baronin Marie Christine von Werther. Später übernahm
diese Tätigkeit Hilde Bartosch.

Wenn nun der Abend der großen Modeschau[15] gekommen war
und die Gäste eintrafen, wurden sie vom Couturier höchstpersönlich
empfangen. Die meisten Damen kamen in Modellen von Adlmüller.
Eine Modeschau von W. F. Adlmüller war immer ein gesellschaft-
liches Ereignis. Bevor die Vorführung begann, wurde Sekt gereicht,
und die Gäste konnten sich unterhalten. Nach einiger Zeit nahmen
sie ihre Plätze ein. Fred Adlmüller war es ein großes Anliegen, dass
alles perfekt war. Er machte sich über den Ablauf des Abends bis
ins kleinste Detail Gedanken und trug auch selbst größtenteils dazu
bei, dass alles funktionierte. Er äußerte auch seine Wünsche und
Erwartungen an seine Mitarbeiterinnen und Mitarbeiter, die diese
auch nach seinen Vorstellungen ausführten.

Der große Moment des Abends war immer dann, wenn sich der
Vorhang öffnete und die Modeschau begann. Fred Adlmüller befand

sich während der Vorführung hinter dem Vorhang und kontrollierte jedes Modell, bevor das Mannequin hinausging. Zuerst kamen die Tagesmodelle, dann die Cocktailkleider und als Höhepunkt die Abendkleider. Zum Schluss trat der Couturier selbst auf und wurde von den Gästen umjubelt, und man gratulierte ihm zu seiner neuen Kollektion. In den nächsten Tagen kamen die Damen in den Couture-salon, um sich Modelle aus der Kollektion auszusuchen. Dazu diente immer das Modellbuch, in dem sich die Kundin ein Modell oder auch mehrere auswählen konnte. Die einzelnen Modelle wurden dann speziell für sie nochmals vom Hausmannequin vorgeführt. Wenn sie sich dann endgültig für ein oder mehrere Modelle entschlossen hatte, wurde das Modell an der Kundin probiert. In manchen Fällen passte das Kleid sofort. Ansonsten musste es geändert, nochmals probiert und endgefertigt werden.

Das fertige Modell wurde meistens vom Chauffeur des Hauses zugestellt. Wenn die Damen im Ausland lebten, erfolgte die Liefe-rung per Post oder mit dem Flugzeug. Eine große Abendrobe kostete in den 1960er Jahren zwischen ATS 60.000,- und ATS 120.000,-, ein

Tageskleid um die ATS 30.000,–. Die Kundinnen konnten nun mit ihren neu erworbenen großen Abendroben den Wiener Opernball oder andere gesellschaftliche Ereignisse besuchen.

Schlusswort

Es ist nun sehr interessant zu wissen, was das Besondere der Modewelt des Couturiers W. F. Adlmüller ausmachte. Er verstand es zu inszenieren. Er wusste, wie und was alles dazugehörte, um ein ›Gesamtkunstwerk‹ zu schaffen. Für die Damen waren es immer außergewöhnliche Auftritte, wenn sie mit ihren großen Abendroben die glanzvollen Veranstaltungen besuchten. Andererseits konnte man durch den Blick hinter die Kulissen erfahren, wie damals ein Modell in der Haute Couture entstand: Es war das Zusammenwirken der schöpferischen Tätigkeit des Couturiers und die mühevolle und perfekte Maßarbeit vieler Mitarbeiterinnen und Mitarbeiter in den Werkstätten.

Carmen Bock besuchte die Fachschule für Bekleidungstechnik und -gewerbe in Krems, danach die Meisterklasse für Damenkleidermacher (Meisterprüfung 1985), den Direktricen-Lehrgang und den Lehrgang für Textilrestauratoren an der Höheren Bundeslehranstalt für Mode und Bekleidungstechnik in Wien. Anschließend absolvierte sie die Berufspädagogische Akademie in Wien (Lehramtsprüfung – Damenkleidermacher 1990). Seit 1991 ist sie als Textilrestauratorin an der Kostüm- und Modesammlung (ehemaliges Institut für Kostümkunde) der Universität für angewandte Kunst Wien tätig. Neben der Verwaltung und Betreuung der Kostüm- und Modesammlung ist sie an deren zahlreichen Projekten beteiligt. Kostümkundliche Fachberatung, Mitarbeit und Kuratierung von Ausstellungen, Beiträge für Publikationen. Seit 2003 Lehrtätigkeit an der Universität für angewandte Kunst Wien.

Danksagung | Besonderer Dank ergeht an Hilde Bartosch für ihre ausführlichen Informationen und aufschlussreichen Gespräche über W. F. Adlmüller und sein Haus.

Literaturhinweise | Bönsch, Annemarie: Wiener Couture. Gertrud Höchsmann (1902–1990). Wien 2002 | Loschek, Ingrid: Reclams Mode- und Kostümlexikon. 5., aktualisierte und erweiterte Auflage. Stuttgart 2005 | Schill, Herbert: Fred Adlmüller. Der Schönheit zu Diensten. Amalthea, Wien-München 1990 | Walterskirchen, Gundula/Baumgartner Bernhard: Der Wiener Fasching. Die Zeit der Bälle und Walzer. Wien 2001

1 | http://de.wikipedia.org/wiki/Wiener_Opernball

2 | Walterskirchen, Gundula/Baumgartner, Bernhard: Der Wiener Fasching. Die Zeit der Bälle und Walzer. Wien 2001. S. 160

3 | a.a.O, S. 168

4 | Hilde Bartosch war seit 1959 bis zum Lebensende von Hofrat Prof. Fred Adlmüller in seinem Geschäft tätig. Nach der Übergabe an die Firma Palmers arbeitete sie dort weiter bis zur endgültigen Auflösung des Hauses W. F. Adlmüller. Sie kannte den Couturier sehr gut und wusste genau, was und wie er etwas haben wollte. Sei es bei seinen Entwürfen, Modellen, dem Umgang mit den Kundinnen und Kunden oder der Führung des Geschäfts. Sie war seine engste Mitarbeiterin und die Seele des Hauses. In ihrer höflichen, zurückhaltenden und einfühlsamen Art betreute sie die Kundinnen, sei es im Couturesalon oder im Verkauf in der Boutique. Sie koordinierte und organisierte auch sehr viel. Bald nach ihrem Eintritt in den Salon hatte sie die Meisterprüfung abgelegt und war bereits mit 24 Jahren gewerblich autorisierte Geschäftsführerin geworden. In dieser Funktion trug sie die Verantwortung für die Werkstätten und die Lehrlingsausbildung.

5 | Interview mit Hilde Bartosch, 27.8.2008

6 | Haute Couture, die (frz., ›gehobene Schneiderei‹; ital. Alta Moda), für die elegante Mode international richtungweisende Pariser Schneiderkunst in exklusiver Maßarbeit von Großunternehmen. Loschek, Ingrid: Reclams Mode- und Kostümlexikon. 5., aktualisierte und erweiterte Auflage. Stuttgart 2005. S. 241

7 | In der Französischen Werkstätte wurden hauptsächlich Kleider und Blusen hergestellt im Gegensatz zur Englischen Werkstätte, wo Jacken und Mäntel aus festeren Stoffen gefertigt wurden, die daher andere Verarbeitungstechniken verlangten als die Modelle in der Französischen Schneiderei.

8 | Mollino (Molino): Ursprünglich ungebleichte, eventuell gebleichte, leinwandbindige Baumwollstoffe in Kattunqualität. Heute Allgemeinbezeichnung für Rohnesselgewebe, die in unterschiedlichen Qualitäten (Cretonne, Renforcé, Kattun) als Einlagematerial verwendet und auch aus Viskosespinnfasern erzeugt werden. Viti, Erna/Haudek, Heinz Werner: Textile Fasern und Flächen. Wien-Perchtoldsdorf 1980 (?). S. 181
In der Haute Couture wurden nur sehr teure und kostbare Stoffe verwendet, und deshalb wurde der Originalstoff erst zugeschnitten, wenn das Mollinomodell den Wünschen des Modeschöpfers entsprach.

9 | Eine Drapierung ist in den meisten Fällen ein in schräger Fadenlage gestalteter Faltenwurf. Im Couturesalon Adlmüller wurden die Drapierungen gleich auf der Schneiderbüste mit dem Originalstoff gestaltet. Es wurde nicht extra ein Schnitt dafür angefertigt, sondern der Stoff wurde auf dem Futterkleid oder der Korsage angelegt, drapiert und fixiert. Anschließend wurde der überschüssige Stoff weggeschnitten und die Drapierung festgenäht und endgefertigt.

10 | Korsage, die (frz. corsage, seit dem 18. Jh. ›Oberteil, Leibchen‹, von afrz. cors ›Körper‹). 1. Auf Figur gearbeitetes, oft, aber nicht notwendigerweise versteiftes, meist dekolletiertes, heute schulterfreies und trägerloses Oberteil, auch separates Leibchen, das im Gegensatz zur sog. Taille auch bis zu den Hüften reichen kann. Loschek, Ingrid: a.a.O, S. 327

11 | In den 1960er Jahren gab es in der Französischen Werkstätte eine Werkstättenleiterin und eine eigene Zuschneiderin. Mit der Zeit gab es keine eigene Zuschneiderin mehr, und es war ausschließlich der Werkstättenleiterin oder einer Meisterin vorbehalten zuzuschneiden. Ebenfalls arbeiteten in der Französischen Werkstätte noch zirka 20 Mitarbeiterinnen. Die Einrichtung der Werkstätte bestand aus mehreren Holztischen und Stühlen für die Schneiderinnen. Über den Tischen waren Lampen montiert, die für gutes Licht beim Handnähen sorgten. Wichtig waren noch große Zuschneidetische, Nähmaschinen und eine Bügelstelle. Ebenso war die Organisation in der Englischen Werkstätte. Es waren dort aber weniger Mitarbeiterinnen und auch einige Herren beschäftigt. Weiters gab es eine eigene Herrenschneiderei, die es allerdings nicht so lange gab wie die beiden Damenschneidereien.

12 | Vor dem Brand im Jahre 1968 befanden sich drei Salons im 1. Stock. Der große Salon befand sich in der Mitte, und alle drei waren an der Seite zur Kärntner Straße. Nach dem Umbau des Hauses wurden die Salons in das Erdgeschoß verlegt, ein großer und ein kleiner Salon, beide an der Seite zur Annagasse.

13 | In den 1960er Jahren gab es zwei Hausmannequins, und zu den Modeschauen und Vorführungen wurden zusätzlich Mannequins engagiert.

14 | Zusätzlich zu den drei Salons befanden sich im ersten Stock das Büro von Fred Adlmüller, das Studio, Stofflager, die Manipulation, die Lohnverrechnung, die Werkstätten und sonstige Nebenräume. In der Mitte befand sich der Innenhof. Nach dem Umbau zog das Casino Austria in das Palais ein, und einige Räume des ersten Stockes wurden von den neuen Untermietern übernommen. Es blieben im ersten Stock nur noch das Büro des Couturiers und das Studio übrig.

15 | Am selben Tag fand bereits am Vormittag eine eigene Modeschau für die Presse statt.

Annemarie Bönsch

Film- und Bühnenkostüme in Fallbeispielen

»Reklame macht Adlmüller von der Bühne aus.«[1] Zu ergänzen wäre diese Feststellung folgendermaßen: von der Bühne, vom Film und später auch vom Fernsehen aus. Weiters sind es nicht nur diese Medien an sich, sondern die Schauspielerinnen und Sängerinnen, die für die Verbreitung von Adlmüllers Ruhm sorgten, wenn sie sich als Kundinnen im Salon einfanden und die Kleider in die Welt hinaus trugen. Der Couturier hat mit Geschick und großem Zeitaufwand ein Kunden-Netzwerk errichtet, dessen solide Basis seinen Erfolg unterstützte. Die Künstlerinnen von Film und Theater (Oper) stellten neben der anderen Prominenz aus Politik, Geldadel und traditionellem Adel den Grundstock seines gut gewarteten und immer wieder erweiterten Netzwerkes dar. Adlmüllers oft zitiertes Pflichtbewusstsein und seine Neigung zum Perfektionismus hielten persönliche Festtage der Kundinnen und Kunden sowie spezielle Ereignisse im Leben derselben oder allgemeine Feste wie z.B Weihnachten in bewundernswerter Evidenz. Für die unzähligen Wünsche und Präsente möge ein handschriftliches Dankeschön von Paula Wessely genügen: »Liebster, bewunderter Adl! Wieder zu Hause, aber noch recht schlapperig, möchte ich nur sagen, <u>wie</u> sehr ich mich über Ihre Genesungswünsche u. schönen Blumengrüße gefreut habe! Innigen Dank! Ein paar von den Blüten hab' ich mit heimgenommen, sie leben noch. ... Ihre Paula Wessely«[2]

Chronologie von Adlmüllers Kostümbildnerkarriere (Auswahl)

Filmkostüme

Im Nachhinein betrachtet bedeutet es vermutlich einen günstigen Zufall, dass es ein Kostümbildner war, der den 20-jährigen Adlmüller dazu bewogen hat, in Wien zu bleiben: Ladislaus Czettel (1904–1949). Es ist denkbar, dass die ersten Bühnenkontakte Adlmüllers über Czettel gelaufen sind, der schließlich von 1920–1932 als Kostümbildner an der Wiener Staatsoper arbeitete, wo er von 1935–1938 die Kostümabteilung leitete. Ferner stattete er von 1930–1938 einige Filme aus.[3]

Die nachhaltigste Wirkung auf Adlmüllers Kostümbildnerkarriere hat wohl die Zusammenarbeit und Freundschaft mit Willi Forst

Fred Adlmüller mit Willi Forst (rechts).
Den ›Ausstatter‹ und den Regisseur
verband eine jahrzehntelange
Freundschaft (AN, Nr. 1013/26)

hinterlassen. *Frauen sind keine Engel* (1943, zwischen Herbst und
Dezember 1942 produziert) ist als Auftakt dieser künstlerischen
Kooperation zu nennen. Adlmüller wird als *Kostümberater* genannt.
Es galt, zeitgenössische Kostüme zu »beschaffen«. Es bleibt zu hof-
fen, dass die »Filmfachdarsteller« in diesem Fall die zu den Rollen
»gehörigen modernen Kleidungsstücke« nicht alle »auf eigene
Kosten selbst zu stellen« hatten und dass der Zusatz »soweit nicht
anders vereinbart« wirksam geworden war.[4] Wie später immer wieder
geschehen, waren auch hier die Hauptdarsteller Margot Hielscher,
Marte Harell und Curd Jürgens als treue Salon-Kunden zu gewinnen.
In Interviews nennt Adlmüller all die vielen Filme nicht, wofür er der
Kostümverantwortliche war, lediglich *Frauen sind keine Engel* und
Wiener Mädeln (1944/1949, Farbfilm!) erwähnt er immer wieder,
wobei die *Wiener Mädeln* durch ihre bemerkenswerte Entstehungs-
geschichte tatsächlich eine nahezu unübertroffene Prominenz
aufweisen. Für die Kostüme zeichnen: Fred Adlmüller, Alfred Kunz[5]
(der schon für *Operette* 1940 und *Wiener Blut* 1942 gemeinsam mit
Toni Mautner und Hill Reihs-Gromes den Kostümsektor abgedeckt

hatte) und Erika Thomasberger. Die schwierigen Herstellungsbedingungen zu Kriegsende sind bekannt. Im Februar 1945 wurde zwar noch mit dem Schnitt begonnen, die Fertigstellung konnte aber begreiflicherweise nicht abgeschlossen werden. Das Negativmaterial hat sich glücklicherweise in doppelter Ausführung erhalten, wobei die Berliner Deponierung in sowjetische Hände gefallen war. Forst hat um die Fertigstellung des Filmes in seinem Sinn geradezu gekämpft. Er konnte es sogar erreichen, dass die von der Sovexport-Film zu Ende geführte Version, die bereits in den ›russischen Zonen‹ gelaufen war, zurückgezogen werden musste.

Die Unmenge von Kostümen wurde nach obigen Angaben nicht allein von Adlmüller bewältigt. Es ist von 1.100, von 1.500 oder sogar von 1.700 Kostümen die Rede. Da weder Kunz noch Thomasberger ein Atelier besaßen, wurden die Solistenkostüme vermutlich im Palais Esterházy unter Adlmüllers Leitung angefertigt. Alles andere musste aller Wahrscheinlichkeit nach – wie auch sonst üblich – aus dem Fundus (Wien und Berlin) genommen werden. Der diesbezügliche Vertrag wurde Adlmüller von der Wien-Film am 19. Februar 1944 als ›Kostümberater‹ ausgestellt und von der Forst-Film Produktions-Ges.m.b.H. am 1. März 1944 zugestellt.[6] Ein nicht weiter zu identifizierender Zeitungsartikel aus dem Jahr 1944[7] erklärt die harmonische Zusammenarbeit des Regisseurs (Forst) mit seinem Kostümausstatter: »Kein einziges (Modell) verläßt meine (Adlmüllers) Werkstatt, das er (Forst) nicht genau bis in jede Einzelheit begutachtet hätte; er ist eben ein Regisseur, der sich um alles kümmert, ums Drehbuch ebenso wie um die Garnierung der Damenhüte.« Weiters äußerst sich Adlmüller in diesem Interview prinzipiell über den Kostümentwurf zu historischen Themen, hier im Speziellen die *Wiener Mädeln* betreffend: »… die Kleider von damals einfach zu kopieren, wäre natürlich einfacher gewesen, als sie neu zu entwerfen, aber dann hätten sie wohl weniger Gefallen als Heiterkeit erregt. Denn man kann nicht einfach die Zeit um achtzig Jahre zurückdrehen, man kann nur ihren Stil nachfühlen, sich an ihn angleichen, indem man ihm das entnimmt, was für seine Zeit typisch war, darüber aber nicht die Gegenwart vergisst«. Hier definiert Adlmüller seine Grundhaltung des Anpassens, des Herüberholens. Ebenso verfährt er, wenn er die in Paris gezeigten Modelle nach Wien oder München transponiert, wenn er die Proportionen verschiebt, sie den Wienerinnen und Münchnerinnen anpasst, was nicht sehr schmeichelhaft als »orthopädische Schneiderei« bezeichnet worden ist.

Deshalb hat er später wohl auch die Angebote der Japaner abgelehnt, da sich die Proportionen nicht übermäßig dehnen oder komprimieren lassen. *Der Schönheit zu Diensten* bleibt durchwegs als oberstes Prinzip erhalten, ob es sich nun um Kostüme oder Mode handelt. Dadurch ergibt sich speziell auf dem Kostümsektor eine gewisse Einschränkung. Hässlichkeit und Disproportion bleiben ausgegrenzt. Gewollt hässliche Kostüme – wie sie oft im Rahmen der Kostümbildnerei erforderlich sind – waren von dem Schönheitsfanatiker nicht zu erwarten. Adlmüller perfektioniert sich vielmehr auf dem Gebiet der einfühlsamen individuellen Verschönerung, deshalb besaß er auch das blinde Vertrauen der Künstlerinnen von Bühne und Film sowie all seiner Kundinnen. Filmstars wussten es in ihren Filmen immer wieder durchzusetzen, von Adlmüller eingekleidet zu werden, auch wenn ein anderer Kostümbildner für den Film verpflichtet war. Als Beispiel seien Hildegard Knef[8] und Nadja Tiller[9] erwähnt, deren Garderoben z.B. in *Lulu* (1962) von Adlmüller stammen, während die ebenso bekannte Gerdago[10] für das gesamte Kostümdesign zuständig war.

W. F. A., Ideenskizze zu einem
Kostüm der *Rosalinde*, *Fledermaus*,
Japantournee der Volksoper Wien,
1979; Bühne: Pantelis Dessyilas,
Inszenierung: Robert Herzl
Stiftung Bartosch

> S. 104

Hilde Bartosch, Umzeichnung
der Ideenskizze von Abb. S. 103
Stiftung Bartosch

> S. 105

Hilde Bartosch, umgezeichnete Ideenskizze von W. F. A., daneben Ideenskizze
der Rückansicht mit der typischen
fallenden Schulterlinie von Adlmüllers
Hand; *Adele*, *Fledermaus*, Japantournee der Volksoper Wien, 1979
Stiftung Bartosch

Ein kostümbildnerisches Verhältnis der besonderen Art zeigt sich in der Zusammenarbeit mit Paula Wessely, die eine eigene Produktionsgesellschaft [11] besaß und sich in dieser Position voll und ganz auf Adlmüller verließ. In *Die Wirtin zur Goldenen Krone* (1955) trug sie als Fürstin Pia Maria eine Adlmüllerrobe.[12] Über diese prunkvolle Toilette erzählt die Wessely: »Dieses Kleid habe ich bei dem Film *Die Wirtin zur Goldenen Krone* getragen. Dann zur Eröffnung der Wiener Staatsoper und beim ersten Opernball nach dem Krieg.«[13]

Bühnenkostüme

Adlmüller erinnert sich speziell an seine Kostüme für *Orpheus in der Unterwelt*, an *Die Fledermaus*, an *Tausend und eine Nacht* und an *Tosca*.[14] 1947 inszenierte Willi Forst an der Volksoper den *Orpheus* in den Kostümen von Adlmüller, wohl eine Fortsetzung der erfolgreichen Zusammenarbeit bei den Filmen. Diese Operette ist übrigens die einzige Theaterarbeit Willi Forsts geblieben! Der Erfolg war trotz der hervorragenden Besetzung [15] nicht berauschend.

Bei der *Fledermaus* hingegen punktete Adlmüller abermals mit seiner Begabung für das Wiener Flair. Dieser Inszenierung von Oscar Fritz Schuh aus dem Jahr 1950 für die Wiener Volksoper [16] war ein äußerst langes Leben beschieden. 1963, 1973 und noch in der Neueinstudierung von 1974 spielte man in den von Adlmüller entworfenen Kostümen! Erst 1987 zeigte sich die Fledermaus in neuem Gewand. Das bedeutet, dass auch sämtliche, viel beklatschte Tourneen bis 1987 in Adlmüllers Fledermaus-Kostümen [17] spielten. In mehr als 30 Jahren wird wohl eine Erneuerung notwendig geworden sein, wie die erhaltenen Skizzen aus den 1970ern zeigen.[18]

Ein weiterer Glanzpunkt in Adlmüllers Kostümbildnerkarriere fand 1949 statt: Ljuba Welitsch wurde 1949 als *Salome* an der New Yorker Metropolitan in Kleidern von Adlmüller frenetisch gefeiert. [19] Ähnlichen Erfolg konnten die Roben der *Tosca* – ebenfalls an der Met – verzeichnen. Nicht von ungefähr zählte Ljuba Welitsch zu dem innersten Kundinnenkreis. Auf die Frage nach dem Kundenkreis, der ihm besonders nahe steht, antwortet Adlmüller spontan: »All die Sängerinnen. Die Konzertkleider müssen dem Thema entsprechen …. Vor kurzem habe ich für Christa Ludwig ein herrliches, mit weißen Füchsen verbrämtes Abend-Complet aus weißem Jersey entworfen. Anlass war die Aufführung der *Winterreise* an der Mailänder Scala.«[20]

Szenenfoto, *Fledermaus*, Japantournee
1979: *Orlovsky* (Heinz Ehrenfreund),
Adele (Ilona Szep) – vergleiche
Abb S. 105, *Rosalinde* (Mirjana Irosch) –
vergleiche Abb. S. 107, *Eisenstein*
(Peter Minich) (Archiv der Volksoper Wien)

Auch Anneliese Rothenberger ist eine von vielen, die Adlmüller ein
Dankesbrieflein[21] schrieb, bezogen auf ihre erste eigene TV-Sen-
dung *Heute Abend: Anneliese Rothenberger* im Jahr 1967. Sie trug
ein Adlmüllerkleid. Rothenberger wirkte auch in der viel bejubelten
Aufführung der *Arabella* in der Münchner Oper (1966)[22] mit.

Hier wird das beste *Arabella*-Trio aller Zeiten hochgelobt: Lisa
della Casa und Anneliese Rothenberger mit Dietrich Fischer-Dieskau.
Von Adlmüller stammte diesmal die gesamte Kostümausstattung.
Die Kleider des Couturiers trugen zum großartigen Aussehen der
Damen bei, wobei die Toiletten als halb-mondän und halb-intim
gepriesen werden und durch ihre Noblesse den ganzen Abend präg-
ten.[23] Die Kleider für Lisa della Casa und Ira Malaniuk sind selbstverständlich im Atelier Adlmüller angefertigt worden.[24] Die Solistenkostüme hat Adlmüller, wie auch in vielen anderen Fällen geschehen,
keinem noch so anerkannten Kostümatelier überlassen. Bei dieser
Ausstattung hat sich abermals Adlmüllers Gefühl für das Wiener
Flair verwirklicht – die Oper bewegt sich schließlich im operettenhaf-
ten Milieu, im Wien der 1860er Jahre.

Bezaubernde Julia

Komödie in fünf Bildern von Marc-Gilbert S a u v a j o n
nach Somerset Maugham und Guy Bolton

Deutsch von Martin Dongen

Pierre, Butler bei Gosselins	Benno Smytt
Baron Montfort l'Amaury, Freund des Hauses . . .	Egon Jordan
Michel Gosselin, Julia Lamberts Gatte	Leopold Biberti
Julia Lambert, die bezaubernde Frau	Blanche Aubry
Roger Gosselin, beider Sohn (ein Kind von 14 Jahren)	Heinz Czeike
Jean-Paul Fernois, ein junger Anwalt	Rudolf Strobl
Zina Devry, Julias Freundin	Lotte Ledl
Eve, Julias Zofe	Martha Hartmann
Christiana Vallamont,	
eine junge und sehr schöne Schauspielerin . .	Paola Loew
Inspizient	Oskar Willner

Inszenierung: Leopold B i b e r t i

Bühnenbild: Willi B a h n e r

Kostüme: W. F. A d l m ü l l e r — Adlmode

Pause nach dem 3. Bild

Techn. Einrichtung: Eduard R i e d l   Beleuchtung: Robert V a r e s k a

Masken: Hans K r e s   Tontechnik: Eugen A n d e l

Die Abendkleider der Damen Blanche Aubry und Lotte Ledl von W. F. Adl-
müller, Wien I, Kärntnerstraße 41, alle anderen Kostüme und Kleider von
„ADLMODE" Adlmüller & Co, Wien I, Fleischmarkt 1. — Die Hüte der
Damen von ROBERTA, Wien I, Stock-im-Eisen-Platz 3. — Handtaschen von
der Fa. ANNETTE, Wien I, Kärntnerstraße 43. — Die Anzüge des Herrn Egon
Jordan von Kleiderhaus TELLER, Wien III, Landstraßer Hauptstraße 88/90. —
Schuhe von der Fa. HUMANIC und vom Schuhhaus „BELLEZZA", Wien I,
Kärntnerstraße 43. — Ein Garderobenständer von der Firma Johann Metlicka,
Wien VII, Zieglergasse 20.

Die Theaterkostüme der Damen und die Garderoben der Herren Benno Smytt,
Rudolf Strobl und Heinz Czeike wurden in den Werkstätten des Volkstheaters
unter Leitung von Julie Frey und Otto Höger angefertigt.

Programmpreis S 1.50

Hilde Bartosch, umgezeichnete
Ideenskizze von W. F. A., *Rosalinde*,
Fledermaus, Japantournee der Volks-
oper Wien, 1979; siehe Abb. S. 106
(Stiftung Bartosch)

W. F. A., Abendkleider der Hauptdar-
stellerinnen, *Adlmode* zeichnet für die
weniger wichtigen Kostüme; aus dem
Programmheft zu *Bezaubernde Julia*,
Volkstheater, Spielzeit 1958/59
(AN, Nr. 682)

Das Sprechtheater kommt in Adlmüllers Oeuvre etwas zu kurz.
Der selbst gesetzte Schönheitsrahmen will hier nicht immer passen.
Der schönheitsliebende Couturier beschränkt sich daher auf die
Ausstattung moderner Konversationsstücke oder entwirft die Toi-
letten der Hauptdarstellerinnen. *Die Kinder Eduards* (1950)[25] bieten
diesbezüglich ein auffälliges Exempel. Dem Programmheft ist zu
entnehmen, dass die Kleider der Damen Dorsch und Eis von W. F.
Adlmüller entworfen und von *Stone & Blyth's Nchf.* ausgeführt
wurden.[26] *Bezaubernde Julia* (1958/59)[27] zeigt indessen eine un-
gewohnte Version für das Kostümdesign: »Kostüme W. F. Adlmüller –
Adlmode«. Weiters steht geschrieben: »Die Abendkleider der Damen
Blanche Aubry und Lotte Ledl von W. F. Adlmüller, alle anderen
Kostüme und Kleider von ›ADLMODE‹ Adlmüller & Co.«[28]

Als Schlusssatz möge ein Zitat aus einem Brieflein der getreu-
en Kundin Käthe Dorsch an Adlmüller dienen: »Ihre (Adlmüllers)
Kleider sind hier (in Berlin) Tagesgespräch und jeder ist davon begeistert. Sogar mein Schneider erklärte neidlos so was Schönes hätte
er noch nicht gesehen.«[29]

Annemarie Bönsch, Prof., Dr.phil., Kostümhistorikerin, absolvierte das Studium
der Theaterwissenschaft, Germanistik und Kunstgeschichte an der Universität Wien
sowie Bühnen- und Filmgestaltung an der Universität für angewandte Kunst Wien.
Seit Studienabschluss 1962 ist sie in kostümkundlicher Lehre (Kostümgeschichte
Europas und außereuropäische Gewandformen) und Forschung tätig (Uni Wien,
Angewandte). 1993–1999 Lehrveranstaltungen (Kunst- und Modegeschichte) an
der Modeschule der Stadt Wien in Schloss Hetzendorf. Zahlreiche Veröffent-
lichungen und Vorträge. Mitarbeit, Konzepterstellung und Kuratierung von Ausstellungen. Seit 2005 Kostümredakteurin der Zeitschrift für Historische Waffen-
und Kleidungsgeschichte.

Frauen sind keine Engel

1943. R: Willi Forst. Kostüme: Fred Adlmüller.
Produktion: Forst-Film Produktions-GmbH,
für Wien-Film GmbH, Wien.
Produzent: Willi Forst

Ein Blick zurück

(Untertitel: Am Vorabend). 1944.
R: Gerhard Menzel. Kostüme: Fred Adlmüller.
Produktion: Forst-Film Produktions-GmbH,
für Wien-Film GmbH, Wien.
Produzent: Willi Forst

Nona

1944. Der Film wurde nicht produziert.
Adlmüller war für die »Kostüm-
beschaffung« vorgesehen.

Drecoll, König der Mode

1944. Der Film wurde nicht produziert.

Hundstage

1944. R: Geza von Cziffra. Kostüme:
Fred Adlmüller. Produktion: Forst-Film
Produktions-GmbH, für Wien-Film GmbH, Wien.
Produzent: Willi Forst

Wiener Mädeln

1944. Ur-/Erstauff. von Forst erstellte
Fassung 22.12.1949 in Wien. R: Forst
Kostüme: Fred Adlmüller, Alfred Kunz,
Erika Thomasberger. Produktion: Forst-Film
Produktions-GmbH, für Wien-Film GmbH, Wien.
Produzent: Willi Forst

Der himmlische Walzer

1948. R: Geza von Cziffra. Kostüme:
Fred Adlmüller. Produktionsfirma
und Produzent: Geza von Cziffra

Höllische Liebe

1949. R: Geza von Cziffra. Kostüme:
Fred Adlmüller. Produktionsfirma und
Produzent: Geza von Cziffra für
Neue Wiener Film-Produktions-GmbH

Das Kuckucksei

1949. R: Walter Firner. Kostüme:
Fred Adlmüller. Produktion: Willi Forst Film,
Wien. Produzent Willi Forst

Der schweigende Mund

1951. R: Karl Hartl. Kostüme:
Fred Adlmüller. Produktion:
Excelsior-Filmproduktion, Wien

Alle kann ich nicht heiraten

1952. R: Hans Wolff. Kostüme:
Fred Adlmüller. Produktion:
Fono-Film GmbH, München-Hamburg.
Produzent Hermann Schwerin

Illusion in Moll

1952. R: Rudolf Jugert. Kostüme: Charlotte
Flemming, Fred Adlmüller (Kleider von
Hildegard Knef). Produktion: Intercontinental
Filmgesellschaft. Produzent: Erich Pommer

Dieses Lied bleibt bei dir

1954. R: Willi Forst. Kostüme:
Fred Adlmüller, Marie Louise Lehmann,
Neue Theaterkunst GmbH.
Produktion: Carlton-Film GmbH, München.
Produzent: Günther Stapenhorst

Weg in die Vergangenheit

1954. R: Karl Hartl. Kostüme:
Fred Adlmüller. Produktion:
Paula-Wessely-Film GmbH, Wien.
Produzent: Paula Wessely

Sie

1954. R: Rolf Thiele. Kostüme:
Fred Adlmüller, Bessie Becker.
Produktion: Filmaufbau GmbH. Göttingen.
Produzent: Hans Abich, Rolf Thiele

Das Licht der Liebe

1954. R: R.A. Stemmle. Kostüme:
Fred Adlmüller. Produktion:
Paula-Wessely-Film GmbH, Wien.
Produzent: Paula Wessely

Die Wirtin zur Goldenen Krone

1955. R: Theo Lingen. Kostüme:
Fred Adlmüller, Hill Reihs-Gromes.
Produzent: Otto Dürer

Wo die Lerche singt

1956. R: Hans Wolff. Kostüme:
Fred Adlmüller. Produktion:
Paula-Wessely-Film GmbH, Wien.
Produzent: Paula Wessely

Noch minderjährig

1957. R: Georg Tressler. Kostüme:
Fred Adlmüller. Produktion:
Paula-Wessely-Film GmbH, Wien.
Produzent: Paula Wessely

Im Prater blüh'n wieder die Bäume

1958. R: Hans Wolff. Kostüme:
Fred Adlmüller, Hill Reihs-Gromes.
Produzent: Otto Dürer

Frauensee

1958. R: Rudolf Jugert. Kostüme:
Fred Adlmüller. Produktion: Vienna Film-
Produktion, Wien. Produzent: Otto Dürer

Geständnis einer Sechzehnjährigen

1960. R: Georg Tressler. Kostüme:
Fred Adlmüller. Produktion: Vienna Film-
Produktion, Wien. Produzent: Otto Dürer

Lulu

1962. R: Rolf Thiele. Kostüme:
Fred Adlmüller, Gerdago.
Produktion: Vienna Film-Produktion, Wien.
Produzent: Otto Dürer

1 | Der Stern. Heft 4, 7. Jahrgang, 24. Jänner 1954

2 | Kostüm- und Modesammlung
der Angewandten. AN, Nr. 827

3 | Luerti, Angelo: Non solo Erté. Costume Design
for the Paris Music Hall 1918-1940. Guido Tamoni
Editore, 2005

4 | Tarifordnung für Filmschaffende. Tarifregister
Nr. 3733/1. Berlin, 19. August 1943. Kostüm- und
Modesammlung der Angewandten. AN, Nr. 737

5 | Alfred Kunz leitete damals das Haus der Mode und
gründete nach dem 2.Weltkrieg die Modeschule der
Stadt Wien in Schloss Hetzendorf und wurde deren
erster Direktor.

6 | Kostüm- und Modesammlung
der Angewandten. AN, Nr. 737

7 | Kostüm- und Modesammlung
der Angewandten. AN, Nr. 649/2

8 | Das Programm zu Illusion in Moll (1952) nennt
Adlmüller für die Kleider von Hildegard Knef
neben der erfolgreichen Kostümbildnerin Charlotte
Flemming (1920–1993).

9 | Mit Nadja Tiller und Hildegard Knef verband
Adlmüller ein besonders herzliches Verhältnis.

10 | eigentlich Gerda Gottstein, auch Gerda Iro, 1906-
2004. Hat unter zahlreichen anderen Filmen Willi Forsts
Maskerade und Marischkas Sissy-Filme ausgestattet.

11 | Paula Wessely-Filmproduktion G.m.b.H., Wien

12 | Kostümdesign: Hill Reihs-Gromes

13 | Kronen Zeitung, 17. Oktober 1990. Das Kleid befin-
det sich in den Modesammlungen des Wien-Museums.

14 | Nicht identifizierbare Zeitung
vom 22. März 1959. S.21

15 | Max Lorenz – Orpheus, Esther Réthy – Eurydike,
Hans Moser – Zeus, Christl Mardayn – Aphrodite

16 | Zeit der Staatsoper in der Volksoper

17 | Den Haag 1975, 1. Japan Tournee 1976, Belgien
1980, 2. Japan Tournee 1982, USA 1984

18 | Einige Skizzen von Adlmüllers Hand und die
dazugehörigen Zeichnungen von Hilde Bartosch
befinden sich in der Kostüm- und Modesammlung
der Angewandten, AN.

19 | Im Programm ist zu lesen: »Mme. Welitsch's
costumes designed by Adelmueller (sic)
and made be Stone and Blythe (sic), Vienna.
Costuming supervised by Frank Bevan«.

20 | Visa austria Magazin. Ausgabe 4/89. Juni 1989.
S. 31. Interview geführt von Désirée Schellerer.

21 | Kostüm- und Modesammlung.
AN, Nr. 804

22 | Premiere 1965. Rothenberger war in diesem
Jahr aus terminlichen Bindungen in Salzburg
verhindert gewesen.

23 | siehe Kritik von Karl Löbl. Express,
Dez. 1966. Kostüm- und Modesammlung
der Angewandten. AN, Nr. 748

24 | Süddeutsche Zeitung, 19. Juli 1965

25 | Akademietheater. Lustspiel von
M. G. Sauvajon, F. Jackson und R. Bottomley

26 | Kostüm- und Modesammlung
der Angewandten. AN, Nr. 681

27 | Volkstheater. Komödie von M. G. Sauvajon
nach Somerset Maugham und Guy Bolton

28 | Programmheft. Kostüm- und
Modesammlung der Angewandten. AN, Nr. 682

29 | Kurzbrief. Berlin, 11. März 1954, mit beigelegtem
unvollständigem Programm (Jane, Komödie von
S. N. Behrmann, nach einer Novelle von W. Somerset
Maugham ... Die Kleider von Frau Käthe Dorsch
stammen aus dem Atelier W. F. Adlmüller, München.)
Kostüm- und Modesammlung der Angewandten.
AN, Nr. 843/4

Uta Krammer

Adlmüller – eine Wiener Institution

»Adlmüller – Madlhüller« formulierte ein Freund von mir. Und wirklich Fred Adlmüller war *der* »Madlhüller«, *der* Modeschöpfer von Wien. Sein Salon im Palais Esterházy in der noblen Kärntner Straße war der wunderbare Tempel, in dem die zauberhaftesten Gewänder fabriziert wurden.

Die Auslagen allein waren eine Augenweide! Meine Mutter, meine Freundinnen und viele, viele andere pilgerten regelmäßig (aber auf jeden Fall im Herbst und im Frühjahr) zu Adlmüller, um zu sehen, was der Meister wieder Neues erdacht habe. Wie oft bestaunten wir diese (für uns unerschwinglichen) Traumgebilde!! Wie viele Frauen wünschten sich wohl, einmal im Leben eine Adlmüllerrobe besitzen zu dürfen! (Ich bekam viele Jahre später ein türkises Strickensemble – aus 2. Hand – was für eine Trophäe!)

Der »Modezar«, wie er genannt wurde, war beim Wiener Publikum ungeheuer beliebt. Auch in den Medien – (regelmäßig wurden seine Modeschauen kommentiert, gezeichnet, fotografiert) und in der ›guten Gesellschaft‹ spielte er eine große Rolle. Er war der berühmte (auch international bekannte) Sohn unserer Stadt, und keiner erinnerte sich daran, dass er eigentlich ein ›Zugereister‹ war. In Wien waren Adlmüller und sein Salon wirklich zum Begriff geworden. Adlmüller wurde verehrt und geschätzt. Er war höflich, umgänglich, charmant und hatte Charakter.

Helmut Zilk betont, dass Adlmüller »nicht Mode *diktierte*, sondern *die Frauen schöner machen*« wollte.[1] Um dieses Ziel zu erreichen, setzte er seinen ausgeprägten Farbensinn ein, verwendete üppige Stoffbahnen, schmückendes Beiwerk und ließ seiner Fantasie freien Lauf (aber immer im Dialog mit der Kundin). Adlmüller liebte die Frauen und diente ihnen; er betreute sie und ging auf ihre Wünsche ein. Fast alle seine Kunden wurden auch zu lebenslangen Freunden, die seine Einfühlungsgabe und Treue schätzten. Fred Adlmüller und sein Salon waren eine Wiener Institution ersten Ranges. Ein halbes Jahrhundert lang kleidete er die (Wiener) Damen ein und wurde zu einem festen ›Bestand des Wiener Kulturlebens‹. Zu seinen Kundinnen gehörte die ›höhere Gesellschaft‹, Sängerinnen, und (Burg-)Schauspielerinnen, die Gattinnen der Bundespräsidenten, aber auch exotische Persönlichkeiten wie Madame Sukarno oder Königin Sirikit von Thailand.[2] Er verwandelte sie alle in Schönheiten: Die ranken-schlanken und die rundlich-molligen Typen, und sie dankten es ihm mit Anhänglichkeit und Zuneigung. Durch Zufall durfte ich ein paar Mal an Adlmüller-Modeschauen teilnehmen;

Verabschiedung bei der letzten Mode-
gala Adlmüllers am 15. März 1989:
Fred Adlmüller mit seinen Mannequins
Ulrike Lacroix, Caroline Reyber und
Charlotte Telkes (vordere Reihe von
links) (AN, Nr. 999/11)

sie waren ein Ereignis der besonderen Art, wurden in den prächtigen
Räumen des Palais Esterházy inszeniert und fielen durch tolle
Effekte und viel Glanz auf. Ich verließ das Palais geblendet und tief
beeindruckt. Fred Adlmüller war ein Magier, ein barocker Geist, der
zu feiern verstand.

An seinem 80. Geburtstag war das Schloss Schönbrunn Schau-
platz eines erlesenen Festes. Ich hielt mich damals zufällig in der
Nähe auf und erlebte die strahlende Beleuchtung und das Eintreffen
der Gäste. Es war ein Riesenspektakel! Ich glaube, jeder in Wien
gönnte Adlmüller den kaiserlichen Rahmen und war stolz auf den
prominenten Jubilar. Dieser Mann hatte sich seinen Traum vom eigenen Mode-Imperium gerade in Wien erfüllt, er hatte seine Visionen
verwirklicht. Diese Stadt voller Tradition, Geschichte, Abgründe und
Verhinderungen hatte ihn nicht weggestoßen, sondern angenom-
men. Fred Adlmüller hatte es geschafft: 50 Jahre lang war das modische Antlitz der Stadt entscheidend von ihm geprägt worden. Und
Wien und die Wiener(innen) waren glücklich, ihren eigenen, speziell
wienerischen Modeschöpfer zu besitzen.

Fred Adlmüller hat mir immer imponiert: Seine Konsequenz, seine Fantasie, sein kaufmännisches Talent, sein Charakter, sein Schaffenswille und seine Frömmigkeit machten Eindruck auf mich.
Vor einigen Jahren archivierte ich seinen persönlichen Nachlass und war tief gerührt von den vielen Briefen dankbarer Menschen, die er im Lauf seines Lebens erhalten hatte. Daraus geht auch hervor, mit welcher Sorgfalt und welchem Einfühlungsvermögen er sich seinen FreundInnen und KundInnen gewidmet hatte. Er war wirklich ein großartiger, toller Mensch mit vielen Interessen und mit einem weiten Herzen!

Zum Schluss möchte ich aus der Trauerrede zitieren, die P. Gottfried Eigner OSA von der Augustinerkirche in Wien, am Zentralfriedhof bei der Einsegnung hielt: »Uns, die wir zurück bleiben, bleibt nicht nur die Erinnerung, sondern sein Vorbild an Korrektheit und Fairness, an Engagement, auch an echter Lebensfreude und sein Vorbild der Sehnsucht nach der vollkommenen Schönheit, die erst durch Gott erfüllt wird. Von Seneca stammt das Wort: Wenn du nichts gibst als ein gutes Vorbild, hast du viel gegeben. Unser Bruder Fred Adlmüller hat vielen Menschen viel gegeben. Dafür sind wir dankbar, hoffentlich nicht nur jetzt in der Stunde des Abschieds ...«[3]

Der persönliche schriftliche Nachlass von Fred Adlmüller, Fotos, Geschenke und Gegenstände aus seinem Besitz, wurden dem damaligen Institut für Kostümkunde (jetzt Kostüm- und Modesammlung) der Universität für angewandte Kunst im Jahr 1999 übergeben. Herbert Schill, lebenslanger Freund des Modeschöpfers, hatte aufgrund der Adlmüller-Ausstellung der ›Angewandten‹, die im selben Jahr im Heiligenkreuzerhof stattgefunden hatte, diese Anordnung getroffen. Die Historikerin **Dr. Uta Krammer** archivierte und bearbeitete den Nachlass in den Jahren 2003–2004.

1 | Helmut Zilk in: Schill, Herbert:
Fred Adlmüller. Der Schönheit zu Diensten.
Amalthea, Wien–München 1990

2 | Schill, Herbert: Fred Adlmüller.
Der Schönheit zu Diensten.

3 | P. Gottfried Eigner in: Schill, Herbert:
Fred Adlmüller. Der Schönheit zu Diensten.

In Erinnerung an Fred Adlmüller

Als Wiens einziger, auch international anerkannter, Modezar Fred Adlmüller vor 20 Jahren starb, wurde mit ihm eine Epoche zu Grabe getragen, deren allmähliches Dahinwelken sich längst aller Orten bemerkbar machte – nur nicht bei ihm: Er blieb sich immer treu – ob als Modeschöpfer oder als Privatperson. Sein Streben nach Schönheit und Harmonie war sein Credo, er war der ruhende Pol in der ›Mode-Erscheinungen-Flucht‹, und alles, was sich dem widersetzte, galt ihm nur als Herausforderung, um das Gegenteil zu beweisen.

Obwohl sein Ideenreichtum unerschöpflich war und seine Kreationen immer unverkennbar seine Handschrift trugen, war er – zum Unterschied von vielen anderen großen Modeschöpfern – in seinen Arbeiten kein Selbstdarsteller. Er war keiner jener berühmten Couturiers, deren Modelle und fantasievollen Entwürfe ihnen per se wichtiger sind als die Trägerinnen, die sie erwerben sollten.

Adlmüller wollte nicht nur seine Roben bewundert sehen, sondern vor allem die Damen, die ihn zu seinen Kreationen inspiriert hatten. Er ließ sich weder ›Mini‹ noch ›Maxi‹ diktieren, seine Kleider verbargen, was besser verborgen bleibt, und verliehen Herzeigbarem Glanz. Dennoch ist es typisch für Fred Adlmüller, dass er sich voll Interesse und Neugierde, durchaus visionär, mit der Zukunft auseinandersetzte, obwohl er wusste, dass seine ästhetischen Vorstellungen, seine Lebensart und sein Geschmack dem Zeitgeist der Zukunft nicht mehr entsprechen werden.

Das von ihm gestiftete ›Adlmüller-Stipendium‹, das alljährlich an junge Studierende der ›Angewandten‹ vergeben wird – wo er von 1973 bis 1979 auch als Professor tätig war – und das dazu beitragen soll, deren Suche nach neuen Formen und neuen Inhalten tatkräftig zu unterstützen, ist der Beweis, dass für ihn sowohl Traditionsbewusstsein als auch der Glaube an die Zukunft durchaus vereinbare Anliegen war.

Lotte Tobisch-Labotýn, österreichische Theater- und Filmschauspielerin, trat am Wiener Burgtheater, Volkstheater und Theater in der Josefstadt auf. 1986 erhielt sie den Ehrenring der Wiener Burgtheaters. Von 1981 bis 1996 war sie Organisatorin des Wiener Opernballs. Über mehrere Jahre führte sie einen Briefwechsel mit Theodor W. Adorno, der 2003 in Buchform veröffentlicht wurde. In den letzten Jahren engagierte sie sich verstärkt für soziale Projekte (Aktion *Künstler helfen Künstlern*, Österreichische Alzheimer Liga).

Opernballorganisatorin Lotte Tobisch-
Labotýn in einer Adlmüller-Robe mit
Fred Adlmüller und Horst Buchholz am
Wiener Opernball in den 1980er Jahren

W. F. A., Opernball-Robe für
Lotte Tobisch-Labotýn, Musselin,
Pailletten, 1980er Jahre
(Babsi's Kostümverleih, Wien)

<
Hilde Bartosch, Modezeichnung
nach W. F. A., Opernball-Robe für
Lotte Tobisch-Labotýn, 1980er Jahre

117

Adlmüller-Modelle, Ausstellung der ›Angewandten‹ 1999

Fotografie: Thomas Römer

01 | W. F. A., Abendkleid, weißer
Seidenmoiré, Goldstickerei, 1981
(Privatbesitz)

02 | W. F. A., Abendkleid für die
Tochter des Bundespräsidenten
Adolf Schärf, Dr. Martha Kyrle, blauer
Duchesse, Silberstickerei, 1954
(MAK, Studiensammlung Textil,
Inv. Nr. T 10695–1959)

03 | W. F. A., Abendkleid (Detail) für
die Tochter des Bundespräsidenten
Adolf Schärf, Dr. Martha Kyrle, blauer
Duchesse, Silberstickerei, 1954
(MAK, Studiensammlung Textil,
Inv. Nr. T 10695–1959)

04 | W. F. A., Abendjacke, lila Seide,
Gold- und Silberstickerei, 1970er Jahre
(Privatbesitz)

05 | W. F. A., Abendkleid mit Mantel,
orangefärbiger Duchesse (Mantel),
Ecru Duchesse, Glasperlen,
Glasstifte, Glastropfen, Pailletten
(Kleid), 1960er Jahre
(Privatbesitz)

06 | W. F. A., Abendjacke, türkisgrüne
Seide, Glasperlen, Glasstifte,
Pailetten, 1970er Jahre
(Privatbesitz)

07 | W. F. A., Abendkleid (Detail),
königsblaue Seide, changierende
Glassteine, 1980er Jahre
(Privatbesitz)

01

02

03

04

06

07

Adlmüller
als Professor

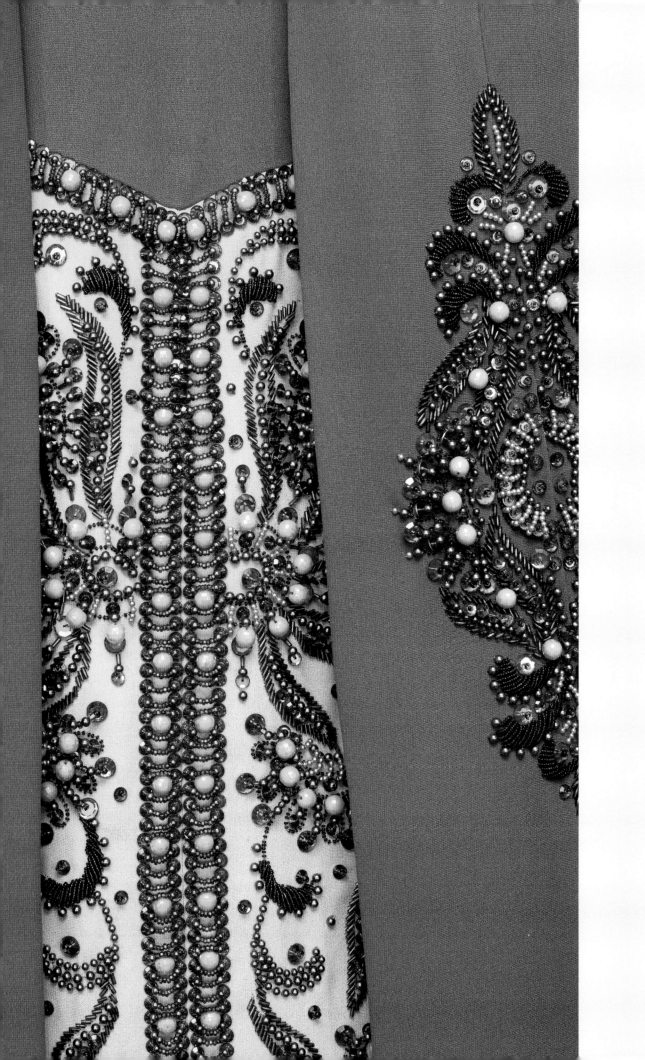

Edeltraud Leh

W. F. Adlmüller als Professor an der ›Angewandten‹ 1973–1979

Das Interview mit Edeltraud Leh führte
Elisabeth Frottier am 20. 8. 2008 in Wien.

Elisabeth Frottier: Wie war Ihr erster Kontakt mit Fred Adlmüller an der ›Angewandten‹? — Edeltraud Leh: Nach Pensionierung von Frau Prof. Gertrud Höchsmann wurde 1973 W. F. Adlmüller als Professor an die Modeklasse berufen. Als er zum ersten Mal die Klasse betrat, bot sich ihm kein schönes Bild. Die Räume waren lange nicht ausgemalt worden, die Garderobe der Studenten lag zum Teil auf den Arbeitstischen, und halbleere Kaffeetassen standen dazwischen. Dieser Anblick verschlug ihm vorerst die Sprache. Die herrschende Unordnung widerstrebte seinem permanenten Ordnungsprinzip und Sauberkeitsgefühl. Als er aber die ersten kreativen und fantasievollen Entwürfe sah, entschädigten sie ihn für dieses Chaos. Trotz der raschen Umgestaltung der Klassenräume fanden die meisten Korrekturen in seinem Zimmer statt, das nach seinen Wünschen eingerichtet worden war und in dem er sich sichtbar wohler fühlte. Nur wenn Anproben angesagt waren und man mehr Platz benötigte, fanden diese im großen Saal statt.

Wie sehen Sie den Unterschied der Lehrtätigkeit von G. Höchsmann und W. F. Adlmüller – die man ja als Antipoden im Wiener Modegeschehen bezeichnen könnte? — Höchsmann und Adlmüller waren in ihrem Unterrichtsstil einander ähnlicher, als man annehmen könnte: Ihre Perfektion und Eleganz zeigte sich am fertigen Modell. Anhand ihrer genauen Skizzen konnte man die Schnittführung deutlich erkennen. Beide hatten die Fähigkeit, hart zu arbeiten. Sie leiteten beide ihren Salon während ihrer Tätigkeit an der Hochschule weiter. G. Höchsmann war eine strenge, Respekt einflößende Professorin. Oft genügte den Studenten schon ein erstauntes Heben ihrer Augenbraue oder ein leises Lächeln, um zu wissen, dass der Entwurf gefiel. Als Modeschöpferin war sie in einem elitären Kreis von Wien bekannt. Adlmüller war in der Hochschule um Distanz bemüht, aber sehr einfühlsam, wenn es Schwierigkeiten gab. Er war ein fester Bestandteil des Wiener Gesellschaftslebens und zählte viele berühmte Künstler und Sänger zu seinem Freundeskreis. Eines hatten sie aber gemeinsam: ihre Liebe zur Mode.

Was war das Besondere an Adlmüllers Unterrichtsstil? —
Prof. Adlmüller wollte eigentlich immer nur das Schöne hervorheben. Er wollte mit seiner Mode die Frauen schöner machen. Das war ihm ein großes Anliegen, diesem Prinzip ist er stets treu geblieben.

Professor Fred Adlmüller mit Mannequin
und Studierenden in der Meisterklasse
für Mode an der ›Angewandten‹ (links
im Bild Assistentin Ilse Pace), um 1977

Wie war W. F. Adlmüller als Lehrer? — Jeden Morgen – das war sein
Programm – ist er kurz in die Hochschule gekommen. Er hat sich
sehr bemüht, dass er mindestens zweimal in der Woche länger da
war. Er machte einen Rundgang, schaute kurz in die Klassenräume,
um zu sehen, wer schon anwesend war, fragte: »Was gibt es Neues?
Ist etwas zu korrigieren, hat jemand Schwierigkeiten?« Danach gab
es eine kurze Besprechung, und dann musste er schon wieder weg
zu seinem nächsten Termin. Länger haben seine Aufenthalte ge-
dauert, wenn eine Modeschau vorbereitet wurde. Die schönste und
letzte fand im MAK 1977 statt. In der Säulenhalle kamen die drapierten, bestickten und bedruckten Abendkleider besonders gut zur
Geltung. Für diese Schau wurde die Zusammenarbeit mit der Textil-
klasse unter Prof. Grete Rader-Soulek sehr gefördert.

Wie gestaltete sich sein Unterricht? — Ca. 30 Studenten waren
in vier Jahrgänge aufgeteilt. Im ersten Jahr wurden die technischen
Fächer wie Schnittzeichnen, Stricken, Sticken und Modellierarbeit
vermittelt. Im zweiten Jahr beschäftigten sich die Studenten mit

Entwurfsarbeiten, die sich aufgrund der Aktualität ergaben (z.B. Brillenentwürfe für Fa. *Angerer–Optyl*). Ab dem zweiten Jahr konnte jeder seine Ideen für eine geplante Modeschau einbringen, sofern sie dafür geeignet waren. Für die Diplomanden bestand die Möglichkeit, ihr Diplom mit der Schau zu verbinden.

Wie war die Beziehung der Studenten zu ihrem Lehrer und umgekehrt? — Das war ganz verschieden. Manche sahen eine Chance für ihren beruflichen Werdegang durch seinen berühmten Namen. Andere haben seinen Stil nicht so goutiert. Als es hieß, »Adlmüller kommt an die Schule«, war eine Gruppe hoch erfreut, die andere eher irritiert. Pünktlichkeit, Verlässlichkeit und der Wille, etwas zu lernen, war ihm bei den Studenten sehr wichtig. Wenn das nicht zutraf, hat er sich mit demjenigen nicht mehr abgegeben. Es gab aber keinen Studenten, den er bevorzugt hätte. Er hat auch seinen Stil Niemandem aufoktroyiert. Er war auch in diesem Sinn ein sehr guter Lehrer, denn er hat keinen seiner Schüler zu sehr beeinflusst.

Nähwerkstätte an der Meisterklasse
für Mode – Prof. Fred Adlmüller, um 1975

Hat es einen Kontakt zwischen Salon und Schule gegeben? — Nein,
überhaupt nicht! Schule und Privatbereich hat er immer getrennt.

*Können Sie sich noch an Projekte erinnern, die in diesen 6 Jahren
gemacht wurden?* — Ja, an Brillenentwürfe aus Optyl, einem neuen
Kunststoff, für die Fa. *Angerer.* Eine große Modenschau im MAK
1977 (mit zweijähriger Vorarbeit) unter Einbindung der Meisterklasse
für Textilarbeiten, die die Drucke und die gewebten Stoffe der verschiedenen Modelle fertigten. Es gab auch Museumsbesuche und
Studienreisen. Eine davon ist mir in besonders guter Erinnerung:
Wir sind damals mit Prof. Adlmüller nach Paris geflogen, um Modeschauen zu sehen, und er hat uns in ein tolles Restaurant eingeladen,
die ganze Klasse, das hatte es noch nie gegeben! Allein seine
Organisation, dass die ganze Klasse zu den Modeschauen (Cardin,
Yves Saint Laurent …) gelassen wurde, war eine enorme Leistung.
Ein anderes Mal gab es eine Zusammenarbeit mit der Meisterklasse
für Metallgestaltung von Prof. Carl Auböck: Schmuck- und Modedesign wurden gemeinsam präsentiert.

< S. 132

Maria Dünser (Mkl. Rader-Soulek):
Stoffdesign, Marianne Maresch (Mkl.
Adlmüller): Modelldesign, Cocktailkleid,
Reinseiden-Organza, schwarz-weiß
bedruckt, 1975 (KMS, Inv.Nr. KM 5859)

< S. 133

Maria Dünser (Mkl. Rader-Soulek):
Stoffdesign, Marianne Maresch (Mkl.
Adlmüller): Modelldesign, Cocktailkleid,
Reinseiden-Organza, schwarz-weiß
bedruckt, 1975 (KMS, Inv.Nr. KM 5860)

*Gibt es für Sie bei Fred Adlmüller eine Besonderheit, die ihn
von seinen Vorgängern oder Nachfolgern unterscheidet?* —
Er war der bekannteste Modeschöpfer Wiens.

*Was war Ihrer Meinung nach das persönliche Erfolgsrezept von
Fred Adlmüller?* — Ich glaube, das war sein Auftreten. Er hat sich
immer bemüht, korrekt zu sein, war allem Neuen gegenüber aufgeschlossen (er war z.B. einer der ersten Passagiere der Concorde),
seine Eindrücke von den vielen Reisen, alles modisch Neue hat er
erspürt und für die ›Wienerin‹ adaptiert.

*Wie war Ihre persönliche Beziehung und die Ihrer Kolleginnen
zu Fred Adlmüller?* — Wir Assistentinnen an der Modeklasse waren
ein eingefleischtes Team. Man sah uns immer nur als Gruppe.
Bei Festen, Feiern, Ehrungen und bei Einladungen zu seinen Modeschauen. Uns allen ist seine weit über das Übliche hinausgehende
Aufmerksamkeit und Menschlichkeit in guter Erinnerung. Auch nach
der Pensionierung von Prof. Adlmüller sendeten wir ihm als Dank
für diese besondere menschliche Achtsamkeit jedes Jahr pünktlich
zum Geburtstag einen Blumenstrauß. Er liebte Blumen über alles.

Waren Sie alle ausgebildete Schneidermeisterinnen? —
Frau Friedrich und Frau Mödler haben ihre Ausbildung bei Frau Prof.
G. Höchsmann gemacht und danach die Meisterprüfung absolviert.
Frau Pace hat die Meisterprüfung für Strickerei abgelegt. Ich war
Absolventin der Modeklasse von Frau Prof. Klimt-Klenau. Auf ihren
Vorschlag wurde ich nach meinem Diplom Lehrbeauftragte bei Frau
Prof. Höchsmann. Die Lehramtsprüfung und die Meisterprüfung habe
ich in Abendkursen gemacht. Das Wichtige für die Studenten war
das gute Fundament, das sie bei uns vorfanden.

*Wie hat Prof. W. F. Adlmüller sich mit diesem ›Fundament‹ aus vier
Damen arrangiert?* — Eigentlich bestens, und auch wir sind mit ihm
wunderbar ausgekommen. Jeder neue Professor hat seine persönliche und künstlerische Linie eingebracht. Das war immer ein wichtiger Anreiz für die Studierenden und ihre Kreativität. Prof. W. F.
Adlmüller war sehr präsent, total engagiert und begeistert von dem,
was er gemacht hat. Er hinterließ der Hochschule eine Stiftung für
den Designer-Nachwuchs. Mode war sein Leben.

Fotoausstellung *Modeschau
Adlmüller* in der Aula der Hochschule
für angewandte Kunst in Wien
(Fotos: Willi Sramek, Kleid im Vorder-
grund: Gabriele Mach, aufgehängte
Stoffbahn: Carmen Müller), 1975

Edeltraud Leh, aoProf., Mag.art., war von 1959–1998 als Lehrbeauftragte, Hoch-
schulassistentin und Assistenzprofessorin an der Modeklasse der Universität
für angewandte Kunst tätig. Sie arbeitete mit den Professoren Gertrud Höchsmann,
W. F. Adlmüller, Karl Lagerfeld, Jil Sander, Jean Charles de Castelbajac, Vivienne
Westwood, Marc Bohan und Helmut Lang zusammen. Ihre Aufgabengebiete waren:
Mode Design, Modellieren (Figurinen) und das periodisch abgehaltene Seminar
über die modische und technische Entwicklung im 20. Jahrhundert. Gemeinsam
mit aoProf. Elfriede Friedrich (Schnitt-Technik und Modellentwicklung in handwerklichen und industriellen Techniken), aoProf. Christa Mödler (Bekleidungstechnik
und Modellfertigung), aoProf. Ilse Pace (Stricktechnik und Strickmusterentwurf,
Modellentwicklung) und Prof. Margitta Hübler (Sticktechniken und Ausführung,
Naturzeichnen) bildete sie ein Team, das viele Jahre als fertigungstechnische Basis
der Modeklasse fungierte.

Persönliche Erinnerungen an Fred Adlmüller als Lehrer und Freund der Familie

Das Interview mit Louise D. Kiesling führte
Elisabeth Frottier am 27. 8. 2008 in Wien.

Elisabeth Frottier: Wann hat Ihre private Beziehung zu Fred Adlmüller begonnen? Wie kamen Sie auf die Idee, Mode zu studieren?
Louise Kiesling: Fred Adlmüller war sehr gut mit meiner Mutter befreundet, und ich bin schon als kleines Kind bei ihm in der Werkstatt herumgelaufen. Irgendwann hat man mich dann sogar dabei erwischt, als ich den Mund voller Stecknadeln gehabt habe. Ich habe immer fasziniert beobachtet, wie er seine Direktricen dirigiert hat und wie die Kleider gemacht wurden. Wo sie etwas wegnehmen mussten und so weiter. Er hat eine sehr spezielle Art gehabt, sich mitzuteilen, die eigentlich mit einer fachlichen Ausdrucksweise nichts zu tun hatte. Das war unheimlich amüsant und hat mir sehr gut gefallen. Ich habe ihn »Onkel Fred« genannt. Er war auch ein super Verkäufer, ich war immer dabei, wenn er meiner Mutter die Kleider gezeigt hat, sie ihr präsentiert hat, und – ich möchte jetzt nicht sagen direkt eingeredet – aber er war in der Beziehung sehr geschickt. Auch meine Großmutter war Kundin bei ihm, aber meine Mutter war sicher eine besonders gute Kundin, die sehr, sehr viele Kleider von ihm gehabt hat. Ich habe auch viele, viele Anproben miterlebt als Kind. Mit dreizehn Jahren durfte ich das erste Mal auf eine Modeschau im Salon im Palais Esterházy in Wien gehen. Für mich war dann irgendwann klar – denn ich bin da ja geradezu hineingewachsen – dass ich Mode studieren würde.

Ich bin eine Absolventin der American International School, an der wir einen nicht ausreichenden Kunstunterricht hatten. Ich bin jedoch ein Jahr, bevor ich die Aufnahmeprüfung an der Hochschule gemacht habe, als Gasthörerin Aktzeichnen gegangen. Ich habe mich wirklich vorbereitet, damit ich es schaffe, aufgenommen zu werden. Ich hatte bereits seit meinem fünfzehnten Lebensjahr Zeichenunterricht von Frau Prof. Hübler extern erhalten, die übrigens auch an der Hochschule Assistentin war. Ich habe die Aufnahmeprüfung dann auch auf Anhieb geschafft.

Für mich war die Beziehung zu Prof. Adlmüller dann an der Angewandten besonders schwierig, weil er zu mir doppelt so streng war. Damit ja nicht auch nur der leiseste Verdacht entstehen könnte, dass ich aufgenommen worden wäre, weil er mir geholfen habe. Wenn jemand Kritik bekommen hat, dann war es eigentlich immer ich. Ich war auch Studentenvertreterin. Er war sehr, sehr streng.

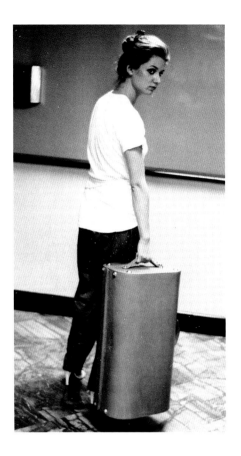

‹ S. 137

Louise D. Kiesling-Ahorner
(Mkl. Adlmüller) mit ihrer Diplomarbeit
Reisegarderobe, 1979

Wie war aus Ihrer Sicht die Schüler-Lehrer-Beziehung? Wie war die Stimmung, die ganze Atmosphäre an der Angewandten und speziell in der Modeklasse damals in den 70er Jahren? — Für mich war es immer schwierig, da natürlich meine Mitschüler immer gewusst hatten, dass ich Fred Adlmüller gut kenne. Sie haben sich zum Teil köstlich darüber amüsiert, dass ich so streng behandelt wurde. Manchmal war er – ich möchte nicht sagen ungerecht – aber eben besonders streng zu mir. Die Atmosphäre war eigentlich sehr kameradschaftlich damals. Das was wirklich toll war, er war immer da! Er ist wirklich jeden Tag gekommen. Wir haben gewusst, dass er um eine gewisse Uhrzeit (9.30 oder 10 Uhr) kommen würde. Wenn man dann nicht da war, war das nicht sehr günstig. Da er wirklich immer geschaut hat, wer da ist und uns auch einiges mitgeteilt hat. Ich erinnere mich noch, wenn er unsere Arbeiten beurteilt hat, war seine wichtigste Frage immer: »Wie kommt sie rein?« – gemeint war natürlich die Trägerin. Weil wir oft extrem ausgefallene Dinge entworfen haben, wo sich keiner überlegt hatte, wo ist der Zipp usw.

Die Funktionalität war ihm genauso ein Anliegen wie die Form. Es war ihm auch sehr wichtig, dass wir nicht irgendwo ›abkupfern‹. Er hat immer ganz genau geschaut, ob der eine vom anderen etwas kopiert. Er hat den individuellen Stil jedes Einzelnen gefördert. Er war präsent, er war jeden Tag da, er hat korrigiert. Er ist immer gerne in seinem Zimmer gewesen. Es sind Aufgaben gestellt worden (z.B. eine Kollektion zu entwerfen für eine gewisse Zeit), dann hat es Abgabetermine gegeben, da ist er dann schon in der Klasse gesessen. Er hat auch zu Weihnachten immer ein Glas Sekt mit uns getrunken. Seine Art, die Flasche zu öffnen, war besonders lustig. Er erklärte uns: Wenn man das Untere der Flasche anfeuchtet, dann knallt der Korken nicht – und irgendwie hat er es immer geschafft, dass er die Flasche so aufgemacht hat, dass sie nicht geknallt hat.

In sehr guter Erinnerung ist mir die Modeschau, die wir damals gemacht haben. Weil er uns da schon professionelles Arbeiten gezeigt und beigebracht hat: Wie man mit Models umgeht, die Anproben, die entsprechenden Umgangsformen und wie man eine Modeschau vorbereitet. Die war wirklich toll, sie war damals im Museum für angewandte Kunst. Ich habe auch vorgeführt mit einer zweiten Studentin (Gabriela Mach), die anderen waren professionelle Models. Da gibt es übrigens einen Film (von der *Austria Wochenschau*) davon.

War in den Jahren, in denen Sie studierten, nur eine Modeschau? —
Wir haben nur eine gehabt. Das hat auch finanzielle Gründe gehabt.
Im Museum für angewandte Kunst ist eine Bühne aufgebaut worden
und mit Jute bespannt, damit sie schön glatt wirkt. Wir sind hinten,
von den Umkleidekabinen kommend, aufgetreten und dann klassisch,
wie bei einer Modeschau üblich, herein gekommen. Die Jute war
fest gespannt, der Untergrund aber nicht ganz glatt, und da ist man
als Modell leicht gestolpert, was mir dann tatsächlich auch passiert
ist, das war für mich entsetzlich! Der Rahmen der Modeschau war
spektakulär, mit riesigen Pflanzen – Königspalmen –, es war einfach
sensationell. Ein Rahmen wie in Paris. Wir haben auch Studienreisen
nach Paris gemacht. Adlmüller hat arrangiert, dass wir dort
Modeschauen gesehen haben.

*Das sind die Projekte, von denen man als StudentIn besonders
profitiert. Der direkte Kontakt zu Künstlern, zu Designern, die
spezifische Atmosphäre und Stimmung vor Ort mitzubekommen
ist unglaublich inspirierend. Wie weit hat Prof. Adlmüller seine
StudentInnen unterstützt durch Verbindungen zur Industrie,
zu Firmen, hat es Projekte gegeben, die einen Übertritt von der
Ausbildung in die Praxis ermöglicht haben?* — Bei mir war es
schwierig, da meine private Situation durch meine Mutter das nicht
möglich gemacht hat. Ich bin direkt von der Angewandten vom
Diplom abengagiert worden und habe ein Trainee bei der *Vogue* in
New York gemacht. Ich hätte bei Balmain arbeiten sollen, und
da hat mir Adlmüller sehr wohl geholfen. Ich habe mich dort vorgestellt, aber Österreich war damals noch nicht bei der EU, und ich
habe keine Arbeitsbewilligung bekommen, deswegen haben sie mich
nicht genommen. Er hat sich teilweise schon sehr bemüht, uns
weiterzuhelfen.

Und während der Ausbildung, gab es da Kontakte zu Firmen? —
Wir haben ein paar Wettbewerbe gehabt. Ein Wettbewerb war
für die AUA Hostessenkostüme, einer von der Brillenfirma *Optyl*.
Da war er sehr engagiert.

War er als Professor beliebt bei den StudentInnen? — Schon, wir
haben uns alle eigentlich ein bisschen vor ihm gefürchtet, er war
schon sehr autoritär, wenn er so hereingekommen ist. Aber durch
meine enge, persönliche Beziehung mit ihm bin ich vielleicht nicht

objektiv. Ich bin auch, wie gesagt, Studentenvertreterin gewesen, deswegen wusste ich schon ein bisschen, was andere über ihn denken. Er wurde sehr respektiert.

Wissen Sie etwas von der weiteren beruflichen Karriere Ihrer KollegInnen? — Es gab einen männlichen Studenten, Michael Hrdy, der sich dann Michel Hardi genannt hat, der nach Italien, nach Mailand gegangen ist. Er hätte zu Versace kommen sollen. Was aus ihm geworden ist, weiß ich nicht. Ich habe eigentlich wenig Kontakt zu den anderen. Eine der begabtesten Studentinnen war Gabriela Mach, die hat tolle Sachen gemacht damals. Ich kann mich hauptsächlich an die Leute von meinem Jahrgang erinnern, von den anderen weiß ich nicht viel. Es gab noch zwei Jugoslawinnen, die in ihr Land zurückgegangen sind und dort Mode gemacht haben. Claudia Kühberger hat bereits bei *Loewe* als Designerin in Spanien gearbeitet, als ich eingetreten bin. Aus meinen Jahrgängen ist Michael Hrdy sicher einer derjenigen, die es am weitesten gebracht hat.

Wie war dann Ihr persönlicher Studienabschluss? Sie haben im Studienjahr 1978/79 Diplom gemacht und dafür den Förderungspreis für Wissenschaft und Kunst bekommen? — Ja, und es ist damals das erste Mal gewesen, dass per Jury entschieden wurde. Es hat aus meiner Erinnerung sieben Würdigungspreise des Bundesministeriums für Unterricht und Kunst gegeben. Zwei waren für die Modeklasse, und einen davon erhielt ich. Das war ein Geldpreis (ca. ATS 7.000 – 7.500,-), das war damals viel Geld.

Wer war damals in der Jury? — Alle ProfessorInnen der Angewandten. Es gab damals das erste Mal ein Punktesystem. Mein Diplom war eine Reise im Winter in den Süden (damals wurde es allmählich modern, so etwas zu unternehmen), und da hatte ich überlegt, wie man in Wien abreist, möglichst wenig Gepäck hat und in einer bestimmten Art und Weise (rationell) einpackt. Ich glaube, den Preis habe ich nicht für meine modischen, künstlerischen Dinge, sondern einfach für die Idee bekommen. Nämlich, dass die Mode hier eigentlich schon fast ins Industriedesign übertritt. Ich habe mir einfach mehr überlegt als nur eine Kollektion: Wie kann man so etwas mit möglichst wenig Teilen in einer Art Baukastensystem zusammenstellen. Ich hatte damals eine Hose, über-Knie-lang, einen Wickelrock, der geschlitzt war, und eine Bluse, Jacke und Mantel. Die Idee war,

Louise D. Kiesling-Ahorner
(Mkl. Adlmüller), Skizzen (Hose
mit Bluse / Sommerkleid) mit
Stoffmustern, Diplomarbeit, 1979

man reist in Wien (oder irgendwo sonst in unseren Breitengraden)
ab und kann sich dann immer mehr ausziehen, die Sachen aber
untereinander kombinieren, sodass man insgesamt nicht viel Gepäck
mit hat. Dass sich das alles nicht verdrückt usw., war mir wichtig,
und das hat alles funktioniert.

*Wie schätzen Sie - aus Ihrer sehr nahen Sicht - die Bedeutung des
Salons Adlmüller für Wien, für Österreich ein?* — Ich glaube, das
muss man generell im Rad der Zeit betrachten. Denn es gibt ja fast
keine Couture-Salons mehr. Es hat sich die Mode ja überhaupt im
Aufbau vollkommen gewandelt. Man hat die Couture, man hat die
Designerlabel, man hat die Fastfashion. Es haben sich auch die pro-
duktionstechnischen Möglichkeiten geändert. Die Löhne sind
zum Teil so hoch geworden, man kann fast nicht mehr produzieren
in Europa, das kann ich mittlerweile aus über zwanzig Jahren Mode-
Erfahrung sagen. Was so schade ist: Früher gab es das Maß-Kleid
oder das Couture-Kleid zu bestimmten Anlässen, das war etwas,
das sich die Leute geleistet haben, heutzutage ist das schwierig.
Obwohl ich nach wie vor glaube, dass ein Bedarf da wäre, und es
gibt ja auch nach wie vor SchneiderInnen für Haute Couture – auch
in Wien – die wirklich nicht wenig Geld verlangen und diese Maß-
Modelle bedienen. Damals war auch ein ganz anderes Flair gewesen,
man hat sich sehr von Paris beeinflussen lassen. Auch das hat sich

ein wenig im Rad der Zeit geändert. Es sind viel mehr Einflüsse aus Italien gekommen wie etwa die Designermode. Wenn man das rückblickend historisch betrachtet, so verschieben sich die Schwerpunkte. Heutzutage, wenn man weiß, was in der nächsten Zeit Mode sein wird, was sicher noch schwieriger vorherzusagen ist als früher, kann man sich an allen internationalen Einflüssen orientieren, es gibt Italien, Frankreich, London, New York, mittlerweile auch schon wichtig Moskau und China, Japan – ebenfalls sehr wichtig, aber nicht mehr so sehr wie in den 90er Jahren. Es hat sich einfach der Trend wahnsinnig stark in eine Massenproduktion verändert, und das ist eigentlich schade. Deswegen gibt es so einen individuellen Salon fast gar nicht mehr.

Es wäre ein Ziel dieses Adlmüller-Projekts, einen Anreiz für die jetzigen, jungen Designer zu bieten, eine ähnliche – natürlich zeitadäquate – Situation zu schaffen: eine in Wien, in Österreich verankerte Mode-›Institution‹, die eine solche Reputation aufweisen kann. Was, glauben Sie, hat Fred Adlmüller Besonderes gehabt, was war sein persönliches Erfolgsrezept, um diese Prominenz zu erreichen, in einem relativ kleinen Land wie Österreich? Wie ist es ihm gelungen, mit seinem Salon und dem dazugehörigen Ambiente dieses Niveau zu erreichen? Er gilt ja als Meister der großen Inszenierung und des großen Auftrittes. — Ich glaube, etwas Wesentliches ist, dass er sehr viele internationale Kontakte gehabt hat, nach Persien, nach Frankreich, natürlich zu seiner Heimatstadt München und er war sehr in der Gesellschaft integriert, das war überhaupt sehr wesentlich. Er hat immer in Cap Estel (Côte d'Azur) in Frankreich Urlaub gemacht, er war oft in Paris, in London. Sicher hat er in seiner Zeit, eben auch durch seine gesellschaftlichen Kontakte, diesen Stellenwert gehabt. Sein ›Social Networking‹, möchte ich sagen, hat ihn eigentlich dorthin geführt. Abgesehen von seiner Begabung und seinem Flair. Durch dieses Social Networking war er ja auch in die Hoch-Zeiten des österreichischen oder deutschen Films involviert, ein ganz wichtiger Effekt, den man nicht vergessen darf. Es gibt ja auch andere Couture-Salons wie Faschingbauer, Höchsmann und so weiter, die ja auch toll gewesen sind, aber er hat einfach durch diese Inszenierung, durch seine Kontakte zum Theater, zum Film und dadurch, dass er in der Gesellschaft integriert war, sich auch selbst immer inszeniert hat, viel Erfolg gehabt. Ich habe nie gesehen, dass er einmal schlampig angezogen gewesen

war oder leger erschienen ist, es war immer auch von ihm persönlich ein Auftritt, das hat mir auch imponiert, muss ich ganz ehrlich
sagen, schon als Kind. Er hat sich unglaublich gut auf Menschen
einstellen können – was natürlich schon sehr viel mit seinem Beruf
zu tun gehabt hat. Ästhetik war ihm in allen Bereichen extrem wichtig. Dazu gehört auch Selbstdisziplin, aber er hat auch eine herrliche
Selbstinszenierung gelebt.

Er hatte auch einen wirklich guten, selbstkritischen, teilweise
sehr subtilen und eleganten Humor. Ich habe ihn nie als gewöhnlich oder ordinär erlebt, er hat manchmal schon witzige zweideutige
Bemerkungen gemacht, aber er war nie gewöhnlich. Als er älter
geworden ist und sein Kinn nicht mehr so straff war, meinte er,
er schaue aus wie ein alter Truthahn. Ich habe ihn wirklich witzig in
Erinnerung. Er hat einen herrlichen, persönlichen ›Schmäh‹ gehabt:
Einmal – in den 70er Jahren – nahm er ein Kleid aus Seidenjersey
und sagte zu meiner Mutter: »Schau, das ist ein Kofferkleid, das ist
herrlich!«, nahm das Kleid, knüllte es zusammen und stopfte es in
die kleine Handtasche meiner Mutter. Wir haben damals sehr ge-
lacht, denn als er das Kleid wieder herausnahm, war es überhaupt
nicht verknittert.

Zum Schluss noch eine kleine Anekdote: Es ist natürlich manchmal passiert, dass er an zwei Damen das gleiche Kleid verkauft hat.
Da bin ich sogar einmal live dabei gewesen: Wie sich die beiden Damen
in einem grünen, bestickten, sündteuren Kleid bei einer Modeschau
begegnet sind. Das war ein ›Theater‹, auch solche Dinge sind passiert, es waren eben nicht alles Unikate !

Louise D. Kiesling, geb. Ahorner, Mag. art., war seit ihrer Kindheit in engem Kontakt
mit Fred Adlmüller und von 1975–1979 Studentin bei ihm an der Universität für
angewandte Kunst Wien. Seit Studienabschluss ist sie als Modedesignerin und
Firmeninhaberin im In- und Ausland tätig. Derzeit verfasst sie eine Dissertation
(Der Einfluss der Mode auf die Automobilindustrie) am Royal College of Art in London
und an der Universität für angewandte Kunst in Wien bei Prof. Alison Clarke.

StudentInnen von Prof. Fred Adlmüller an der Meisterklasse für Mode 1973–1979

Zusammengestellt von Doris Drochter und Silvia Herkt

Louise Ahorner

Regina Amon

Andrea Amort

Silvia Amort

Eleonora Bachel

Gabriela Ben Boubaker

Grazyna Brandner

Gabriella Corsaro

Ana Dabic

Theresia Derflinger

Ingrid Dix

Fatemeh Djafarian

Notburga Dorfinger

Otto Drögsler

Anna Fox

Kristine Frühwald

Friederike Furch

Darja Gantar

Renate Genböck

Christa Granl

Brunhilde Hartlieb

Isabelle Hatwagner

Annemaria Heigl

Hildegard Hofböck

Barbara Hrastnik

Michael Hrdy

Brigitta Huemer

Waltraud Huschka

Ana James
(geb. Bencina)

Johanna Jirsa

Clothilde Kapferer

Roya Khalili

Andrea Kirchner

Susanne Korab

Gerlinde Kracher
(geb. Lindmayer)

Claudia Kühberger

Brigitte Liska

Anka Luger
(geb. Peroci)

Gabriela Mach

Mitra Mani Monfared

Ingrid Maresch
(geb. Van Laere)

Marianne Maresch

Liselotte Mayer

Marion Nieswohl
(geb. Freunthaller)

Hannelore Orehounig

Maria Prinz

Hanna Reznicek

Hedwig Roth

Christine Rubin
(geb. Szczepanska)

Ursula Salomon

Regina Schöny

Leila Selmo

Mehrnaz Seyed Madani

Waltraud Stalanics

Anna Stejdir
(geb. Drosg)

Karin Strametz

Edda Strieder

Marina Tatic

Karmela Venko

Christine Vogt

Michaela Weiss

Theresia Weiss

Gabriela Wernbacher

Renate Werr

Christine Willitsch

Marianne Zahel

Elfriede Zajic

----

01 | Brunhilde Hartlieb (Mkl. Adlmüller), Entwurfsskizzen für eine Herbst- und Winterkollektion mit Stoffmustern, Diplomarbeit, 1978

----

02 | Brunhilde Hartlieb (Mkl. Adlmüller), Entwurfszeichnungen, Diplomarbeit, 1978: Übergangsmantel, Winterkostüm mit Mantel und pelzverbrämter Kappe, Wintermantel mit Pelzbesatz, Abendkleid mit Cape

----

03 | Ana Dabic (Mkl. Adlmüller), Entwurfsskizzen (jeweils Vorder- und Rückseite der Modelle) für eine Kollektion, Diplomarbeit, 1974

----

04 | Ana Dabic (Mkl. Adlmüller), Entwurfsskizzen (jeweils Vorder- und Rückseite der Modelle) für eine Kollektion, Diplomarbeit, 1974

----

05 | Ana Dabic (Mkl. Adlmüller), Entwurfszeichnungen, Diplomarbeit, 1974: Cocktailkleid, Pelzjacke mit Hose, Abendkleid, Cocktailkleid

----

06 | Ana Dabic (Mkl. Adlmüller), Cocktailkleid aus der Diplomkollektion, rostrot/braun/beige kombinierter Organza, 1974 (KMS, Inv.Nr. KM 5881)

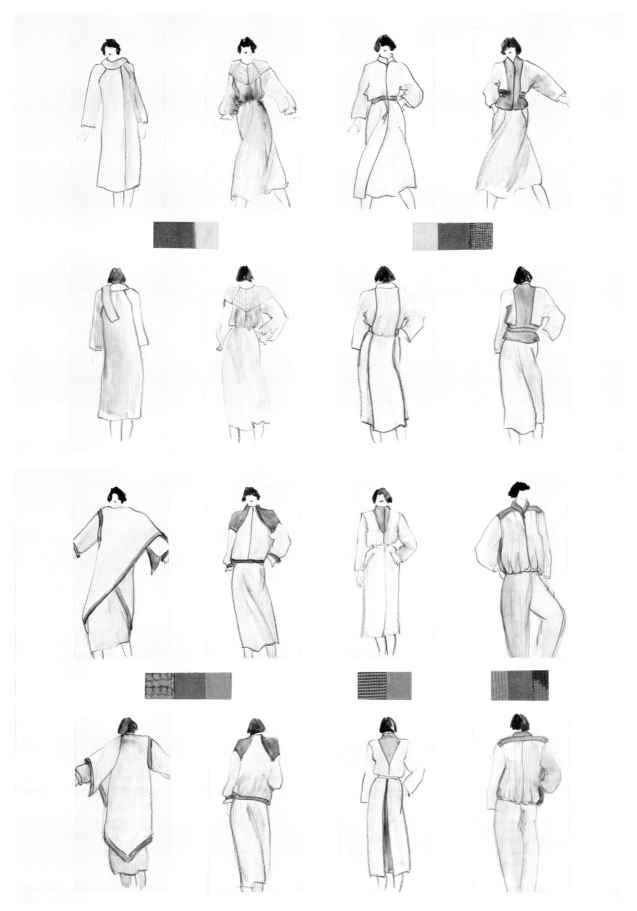

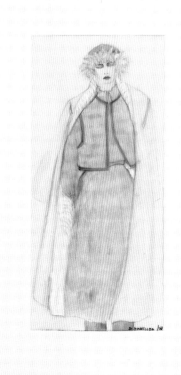

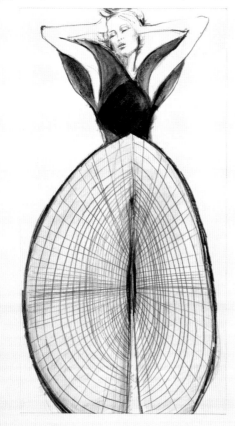

05

Meisterklasse für Mode
Fred Adlmüller,
Modeschau 1977

Fotografie: Willi Sramek

01 | Plakat zur Modeschau, veranstaltet von der Meisterklasse für Mode (Prof. Adlmüller) und für Dekorative Gestaltung und Textil (Prof. Rader-Soulek), Hochschule für angewandte Kunst in Wien, 1977

02 | E. Tansel Baydar (Mkl. Rader-Soulek): Stoffdesign, Hildegard Hofböck (Mkl. Adlmüller): Modelldesign, Abendkleid, Reinseiden-Organza, weiß-braun bedruckt, 1977 (KMS, Inv.Nr. KM 5861 a, b)

03 | Renate Genböck (Mkl. Adlmüller), Gewebtes Cape, handgewebte Wolle in verschiedenen Rottönen, 1976 (KMS, Inv.Nr. KM 5899)

04 | N.N. (Mkl. Adlmüller), Winterensemble mit Daunenmantel, 1977

05 | N.N. (Mkl. Adlmüller), Strickensemble, 1977

06 | N.N. (Mkl. Adlmüller), plissiertes Abendkleid, 1977

07 | Barbara Lux (Mkl. Rader-Soulek): Stoffdesign, N.N. (Mkl. Adlmüller): Modelldesign, Abendkleid, lila Bouretteseide mit gold-braunen Blättern und Streifen bedruckt, 1977 (KMS, Inv.Nr. KM 5900)

08 | N.N. (Mkl. Adlmüller), Cape mit Kappe, 1977

09 | E. Tansel Baydar (Mkl. Rader-Soulek): Stoffdesign, Hildegard Hofböck (Mkl. Adlmüller): Modelldesign, Abendkleid, Reinseiden-Organza, braun-changierend bedruckt, 1977 (KMS, Inv.Nr. KM 5877)

10 | Else Riedel (Mkl. Rader-Soulek): Stoffdesign, Karmela Venko (Mkl. Adlmüller): Modelldesign, Abendkleid, schwarzer Wollcrepe, Ärmel in Brauntönen bedruckt, 1977 (Schmuck: Mkl. Auböck) (KMS, Inv.Nr. KM 5878)

11 | N.N. (Mkl. Adlmüller), Strickensemble, 1977

12 | N.N. (Mkl. Adlmüller), Abendanzug mit Turban, 1977

13 | N.N. (Mkl. Adlmüller), Abendkleid, 1977

14 | Clothilde Kapferer (Mkl. Adlmüller), zweiteiliges plissiertes Abendkleid, blauer Kunstseiden-Georgette, 1977 (Schmuck: Mkl. Auböck) (KMS, Inv.Nr. KM 5864 a, b)

15 | N.N. (Mkl. Adlmüller), Abendmantel, handgewebter rosa-goldfärbiger Brokat (Webarbeit vermutlich Mkl. Rader-Soulek), 1977 (KMS, Inv.Nr. KM 5866)

16 | Ursula Salomon (Mkl. Adlmüller), Abendkleid, dunkelgelber Crepe Georgette, Glasperlen, Glasstifte, 1977 (KMS, Inv.Nr. KM 3277)

17 | Gabriele Amon (Mkl. Rader-Soulek): Stoffdesign, Renate Genböck (Mkl. Adlmüller): Modelldesign, Abendkleid mit Unterrock, schwarze Reinseiden-Organza gold-braun-rot-grau bedruckt, 1977 (KMS, Inv.Nr. KM 5874 a, b)

18 | links: Sohila Kaysan (Mkl. Rader-Soulek): Stoffdesign, Waltraud Stalanics (Mkl. Adlmüller): Modelldesign, Abendanzug, Reinseiden-Organza, regenbogenartig bunt bedruckt, 1977 (KMS, Inv.Nr. KM 5862)

mitte: Annette Reher (Mkl. Rader-Soulek): Stoffdesign, Waltraud Stalanics (Mkl. Adlmüller): Modelldesign, Abendkleid mit Hose, Reinseiden-Organza, in Pink und Rottönen bedruckt, 1977 (KMS, Inv.Nr. KM 5879 a, b)

rechts: Annette Reher (Mkl. Rader-Soulek): Stoffdesign, Waltraud Stalanics (Mkl. Adlmüller): Modelldesign, Abendkleid, Reinseiden-Organza, rot/grün vegetabil bedruckt, 1977 (KMS, Inv.Nr. KM 5858 a, b)

19 | Modeschau 1977, Fred Adlmüller mit Studentinnen und Mannequins beim Schlussauftritt

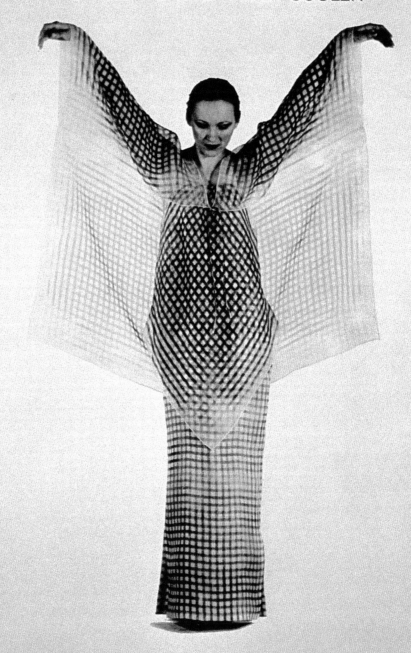

MODESCHAU 1977
MEISTERKLASSE FÜR MODE
O. PROF. FRED ADLMÜLLER
MEISTERKLASSE FÜR DEKORATIVE GESTALTUNG UND TEXTIL
O. PROF. GRETE RADER-SOULEK

HOCHSCHULE FÜR ANGEWANDTE KUNST IN WIEN
29. NOVEMBER 1977, 18.30 UHR
SÄULENHALLE DES ÖSTERREICHISCHEN MUSEUMS FÜR ANGEWANDTE KUNST
WIEN 1, STUBENRING 5

01

Adlmüller
als Mäzen

Heinz P. Adamek

Fred Adlmüller – Traditioneller Modezar? Mäzen junger Kunst!

»*Les modes changent,
étant nées elles-mêmes
du besoin de changement…*«
Marcel Proust

Am 16. März 1989 feierte Fred Adlmüller seinen 80. Geburtstag, glanzvoll, mit einer Modeschau in der Großen Galerie des Schlosses Schönbrunn, zu der sich zahlreiche Prominenz aus dem In- und Ausland einfand. Die Hochschule für angewandte Kunst Wien gratulierte ihrem ehemaligen Mitglied des Professorenkollegiums mit einer Depesche, die ich mit einem Geschenk – einem Ölportrait aus der Hand des Modeschöpfers, Malers und Designers Eduard Wimmer-Wisgrill, einstiger Leiter der Modeabteilung der Wiener Werkstätte und auch Professor an unserer Institution – dem Jubilar überbrachte.

In einem herzlichen Dankschreiben an mich vom 28. März 1989 drückt Adlmüller die Hoffnung aus, noch ein bisschen Zeit zu haben »… in Sachen Mode für unser schönes Wien weiterhin zu werben. Der Abend in Schönbrunn war dafür prädestiniert, denn es waren viele Freunde und Kunden, auch aus dem Ausland, anwesend, die sehr beeindruckt aus Wien abgereist sind …«

Am 16. Juni 1989, genau 3 Monate nach diesem Fest, verfügt Fred Adlmüller in seinem handschriftlichen Testament unter Punkt G: »Mein Guthaben in der Firma W. F. Adlmüller in Höhe von Schilling 10,000.000.– fällt als Stiftung an die Hochschule für angewandte Kunst, 1010 Wien, Oskar Kokoschkaplatz 2, mit der Bestimmung, einmal jährlich beginnend 1 Jahr nach meinem Tod an 6 würdige oesterreichische Studierende aus dem Ertrag der Stiftung ein Fred Adlmüller-Stipendium auszuzahlen. Die Entscheidung über die Vergabe des Stipendiums trifft das Professorenkollegium.«

Nur wenige Monate danach – am 26. September desselben Jahres – stirbt Fred Adlmüller. Die Hochschule für angewandte Kunst in Wien erhält mit Schreiben der Finanzprokuratur vom 8. November 1990 Kenntnis vom großzügigen Vermächtnis. Gemäß Bundesstiftungs- und Fondsgesetz wird hierauf am 22. Jänner 1991 vom Gesamtkollegium der Hochschule O. Prof. Dr. Manfred Wagner als Stiftungskurator nominiert. Danach werden bei den österreichischen Großbanken Anbote zur mündelsicheren Veranlagung des Stiftungsvermögens eingeholt und der Bestbieter ermittelt. Am 14. Juli 1992 wird schließlich der Finanzprokuratur der Satzungsentwurf vorgelegt. Nach Klärung und Präzisierung einiger Details des Satzungstextes wird die endgültige Satzung, deren Formulierung mir zukam, mit Bescheid des Amtes der Wiener Landesregierung vom 24. März 1993 mit Zl. MA 62 – II/172/91 genehmigt.

Für die erste zweijährige Funktionsperiode der Fred Adlmüller-Stiftungskommission werden unter dem Vorsitz von Rektor Oswald

G. Mein Guthaben in der Firma W. F. Adlmüller in Höhe von Schilling 10.000.000 fällt als Stiftung an die Hochschule für angewandte Kunst Wien Oskar Kokoschkaplatz 2 mit der Bestimmung einmal jährlich beginnend 1 Jahr nach meinem Tod an 6 würdige österreichische Studierende aus dem Ertrag der Stiftung

ein Fred Adlmüller Stipendium auszuzahlen. Die Entscheidung über die Vergabe des Stipendiums trifft das Professoren kollegium.

W. F. A., Passus G. aus dem handschriftlichen Testament, das die Stiftung und Auszahlung des *Fred Adlmüller-Stipendiums* verfügt.

Oberhuber vom Gesamtkollegium die Hochschulprofessoren Hans Hollein, Alfred Vendl, Axel Manthey, Adolf Frohner, Manfred Wagner und als externer Modefachmann Herbert Schill zu Mitgliedern bestellt. Damit schlägt der Institution das erste Mal in ihrer Geschichte eine Sternstunde der nachhaltigen Förderung von begabten jungen Künstlerinnen und Künstlern der Angewandten. In Würdigung dieses großzügigen – vom Stifter nicht studienfachbezogen ausgerichteten (!) – Legats ist in den Statuten jedoch festgelegt, dass jährlich jeweils ein Stipendium Studierenden der Studienrichtung Mode zukommen solle.

Seit der Errichtung der Stiftung sind mittlerweile 86 Studierende – davon 22 der Studienrichtung Mode – in den Genuss von Stipendien im Gesamtbetrag von EURO 378.885,45 gekommen. Mit Schaffung dieses Förderungsinstruments hat Fred Adlmüller Tradition im eigentlichen, echten Sinn des Wortes, so wie es Gustav Mahler einmal genial formulierte – »Tradition ist die Weitergabe des Feuers und nicht die Anbetung der Asche« –, als essenzielles Element des Fortschritts angesehen und über die Vergänglichkeit des Augenblicks hinaus mit Blick in die Zukunft institutionell verankert.

In der Rückschau auf eineinhalb Jahrzehnte der Vergabe von Fred Adlmüller-Stipendien steht fest, dass dem Stifter die »Weitergabe des Feuers« nachhaltig gelang, die aus dem Förderungswesen der heutigen Universität für angewandte Kunst nicht mehr wegzudenken sind.

Was den Begriff Tradition in der Lehre anlangt, verstand Fred Adlmüller – wie aus vielen seiner Äußerungen hervorgeht – keinesfalls die Heranbildung ›kleiner Adlmüllers‹ und somit die Fortsetzung seines Stils – im Gegenteil: »Die von unserer Klasse veranstaltete Modeschau soll den Nachweis erbringen, daß die Studierenden ihre modischen Ideen in die Wirklichkeit umsetzen können. (…) Die Erfahrungen, die die Studierenden dabei machen, bilden eine Basis für ihr späteres Berufsleben« … formulierte es Fred Adlmüller im Geleitwort des Kataloges seiner letzten Modeschau an der Angewandten im Jahr 1977 schlicht …

Heinz P. Adamek, Mag. Dr. iur., fungierte in seiner Studienzeit als UNSAA-Delegierter
bei der UNESCO, absolvierte an der Universität Wien das Jusstudium und betrieb
Studien am Dolmetschinstitut (Französisch, Italienisch) sowie in anderen Sprachen
und Kunstgeschichte. Er war in den Jahren 1970–1974 als Lektor der Wiener Internationalen Hochschulkurse der Universität Wien in Deutsch, Französisch und Italienisch
sowie 1970–1988 für Studienprogramme amerikanischer Universitäten in Wien tätig.
Für das European Studies Program der CUI gründete er 1973 ein Theaterseminar,
in dessen Rahmen er über 20 Theaterproduktionen realisierte. Seit 1975 ist er
Rektorats- bzw. seit 1998 Universitätsdirektor der Universität für angewandte Kunst.
2004 Gründung des *Forums Universität und Gesellschaft*. Publikationen und Beiträge
in den Bereichen Literatur, Kunstgeschichte und Recht Ausstellungskommissär zahlreicher Ausstellungen im In- und Ausland.

Satzung der
›Fred Adlmüller-
Stipendien-
stiftung‹ bei der
Hochschule
für angewandte
Kunst in Wien

Hofrat emeritierter Ordentlicher Hochschulprofessor Fred Adlmüller hat in seinem Testament verfügt, einen bestimmten Geldbetrag aus seinem Vermögen zur Errichtung einer Stiftung zu widmen, von deren Erträgnissen jährlich an sechs würdige österreichische Studierende der Hochschule für angewandte Kunst in Wien Stipendien auszuzahlen seien. Mit Bescheid des Amtes der Wiener Landesregierung vom 2. November 1991, Zl. MA 62-II/172/91, wurde die Errichtung dieser Stiftung für zulässig erklärt. Für die Stiftung gelten nachstehende Bestimmungen:

I. Die Stiftung führt den Namen »Fred Adlmüller-Stipendienstiftung«. Sie hat eigene Rechtspersönlichkeit und ihren Sitz in Wien.

II. Das Stammvermögen beträgt S 7,210.000,– und ist mündelsicher in ca. 8%-ig verzinslichen Wertpapieren angelegt bzw. anzulegen. Das sonstige Stiftungsvermögen belief sich per 6. Juni 1991 auf S 10.847,60.

III. (1) Zweck der Stiftung ist es, den künstlerischen Nachwuchs, soweit er an der Hochschule für angewandte Kunst in Wien ausgebildet wird, durch Stipendienvergabe zu fördern.

(2) Das »Fred Adlmüller-Stipendium« ist für Studenten der Hochschule für angewandte Kunst in Wien bestimmt, die die österreichische Staatsbürgerschaft besitzen und in einem Beurteilungsverfahren für würdig erkannt wurden. Im Beurteilungsverfahren ist bei Ermittlung der Würdigkeit das Vorliegen der mindestens zu erbringenden Studiennachweise zu prüfen. Die mindestens zu erbringenden Studiennachweise werden vom Gesamtkollegium festgelegt. Sie sind in der unter VII genannten Verlautbarung anzuführen.

IV. Die Stiftung wird von der bei der Hochschule für angewandte Kunst in Wien eingerichteten Fred Adlmüller-Stiftungskommission verwaltet. Die Vertretung der Stiftung nach außen obliegt dem Vorsitzenden der unter V. (1) bezeichneten Fred Adlmüller-Stiftungskommission.

V. (1) Die Fred Adlmüller-Stiftungskommission besteht aus dem Rektor der Hochschule für angewandte Kunst in Wien, der auch den Vorsitz führt, sowie je einem Hochschulprofessor der fünf Abteilungen der Hochschule (Architektur, Plastische Gestaltung und Design, Visuelle Kommunikation, Bildende Kunst, Kunstpädagogik) und einem Modefachmann, der nicht der Hochschule für angewandte Kunst in Wien angehört. Die Kommissionsmitglieder werden auf Vorschlag des Rektors vom Gesamtkollegium der Hochschule für angewandte Kunst in Wien jeweils auf die Dauer von 2 Jahren gewählt, wobei Wiederwahl zulässig ist. Die vorzeitige Abberufung der Mitglieder der Fred Adlmüller-Stiftungskommission ist durch Beschluss des Gesamtkollegiums zulässig.

(2) Die Fred Adlmüller-Stiftungskommission tritt auf Einberufung durch den Vorsitzenden – ist dieser verhindert durch seinen Stellvertreter – zusammen. Sie ist bei Anwesenheit von wenigstens vier stimmberechtigten Mitgliedern beschlussfähig. Zur Beschlussfassung ist die Zustimmung der absoluten Mehrheit der anwesenden Kommissionsmitglieder erforderlich, im Falle der Stimmengleichheit gibt die Stimme des Vorsitzenden den Ausschlag. Beschlüsse der Fred Adlmüller-Stiftungskommission, durch die die vorliegende Stiftungssatzung geändert werden soll, bedürfen zu ihrer Rechtswirksamkeit der Zustimmung des Gesamtkollegiums der Hochschule für angewandte Kunst in Wien sowie der stiftungsbehördlichen Genehmigung.

VI. Der Fred Adlmüller-Stiftungskommission obliegen hierbei als Organ der Fred Adlmüller-Stipendienstiftung:

a) die Wahl eines Stellvertreters des Vorsitzenden
b) die Erstattung von Vorschlägen über die Verleihung der Jahresstipendien
c) die Beschlussfassung über die Anlegung und Verwaltung des Stiftungsvermögens
d) die Genehmigung des Rechnungsabschlusses sowie dessen Vorlage an die Stiftungsbehörde
e) die Beschlussfassung über eine allfällige Änderung der Satzung oder die Auflösung der Stiftung

----

VII. (1) Anträge auf Zuerkennung eines Stipendiums sind nach einer entsprechenden Verlautbarung mit den erforderlichen Unterlagen beim Vorsitzenden der Fred Adlmüller-Stiftungs- kommission als Organ der Fred Adlmüller-Stipendienstiftung schriftlich einzubringen. Über die Verleihung der Stipendien entscheidet die Fred Adlmüller-Stiftungskommission als Organ der Fred Adlmüller-Stipendienstiftung aufgrund der erstatteten Vorschläge.

(2) Pro Jahr stehen sechs Stipendien zur Verfügung, wobei an je einen Kandidaten jeder Abteilung ein Stipendium vergeben wird. Das sechste Stipendium ist spezifisch für die Studienrichtung Mode vorgesehen.

(3) Das Ergebnis der Beschlussfassung wird durch den Vor- sitzenden gegebenenfalls in einem akademischen Festakt, jedenfalls aber anlässlich der Sponsionsfeiern der Hochschule für angewandte Kunst in Wien verlautbart.

(4) Kommt die Fred Adlmüller-Stiftungskommission als Organ der Fred Adlmüller-Stipendienstiftung zum Beschluss, dass der zur Verfügung stehende Stiftungsertrag eine Erfüllung des Punktes III nicht erlaubt, so kann sie beschließen, den Ertrag (auch teilweise) auf das nächste Geschäftsjahr vorzutragen.

VIII. (1) Die Stiftung unterliegt der stiftungsbehördlichen Aufsicht nach Maßgabe der Bestimmungen des Bundes-Stiftungs- und Fondsgesetzes vom 27. 11. 1974, BGBl. Nr. 11/1975. Stiftungsbehörde 1. Instanz ist das Amt der Wiener Landes- regierung (in mittelbarer Bundesverwaltung).

(2) Der Stiftungsbehörde ist jeweils bis Juni eines jeden Jahres ein Rechnungsabschluss vorzulegen, in dem das Vermögen der Stiftung, getrennt nach Stammvermögen und sonstigem Vermögen, zum 31. 12. des abgelaufenen Jahres auszuweisen ist.

(3) Rechtsgeschäfte über die Belastung bzw. Veräußerung von Stiftungsstammvermögen bedürfen zu ihrer Rechtswirk- samkeit der stiftungsbehördlichen Genehmigung.

(4) Die Organe der Hochschule für angewandte Kunst in Wien, die mit der Verwaltung und Vertretung der Stiftung befasst sind, sind der Stiftungsbehörde jeweils unter Bedachtnahme auf § 15 Abs. 4 BStFG namentlich bekanntzugeben.

IX. Die Stiftung kann unter dem im Bundes-Stiftungs- und Fondsgesetz genannten Voraussetzungen auf Antrag der Stiftung oder von Amts wegen aufgelöst werden. Für den Fall der Auflösung ist das etwa noch vorhandene Stiftungsvermögen einer anderen Stiftung oder einer sonstigen gemeinnützigen Institution, die einen im wesentlichen gleichwertigen Zweck verfolgt, mit der Auflage zuzuweisen, das zur Verfügung gestellte restliche Vermögen zur Förderung von Kunst, Wissenschaft und Forschung zu verwenden.

Fred Adlmüller-StipendiatInnen 1993-2008

Zusammengestellt von Ines Freistätter

1993/94

Susanne Bisovsky
Mode
Christoph Kaltenbrunner
Plastische Gestaltung
und Design
Christoff Wiesinger
Visuelle Kommunikation
Andrea Pesendorfer
Bildende Kunst
Martina Rotheneder
Kunstpädagogik

1994/95

Manfred Grübl
Architektur
Reinhard Plank
Design
Andrea Eva-Maria Unger
Mode
Svetlana Heger
Visuelle Kommunikation
Mirjam Riedler
Bildende Kunst
Norbert Brunner
Kunstpädagogik

1995/96

Helga Schania
Mode
Paul Petritsch
Architektur
Nina Maron
Bildende Kunst
Karl Kühberger
Kunstpädagogik

1996/97

Stephan Unger
Architektur
Sergej Schmid
Mode
Ingrid Gaier
Bildende Kunst
Oliver Jandrey
Kunstpädagogik

1997/98

Caroline Kufferath
Architektur
Rupert Müller
Design
Ernst Feichtl
Mode
Christof Schnell
Visuelle Kommunikation
Niko Sturm
Bildende Kunst
Anna Weiss
Kunstpädagogik

1998/99

Christoph Monschein
Architektur
Annette Sonnewend
Visuelle Kommunikation
Dieter Matzalik
Bildende Kunst
Martin Kaar
Kunstpädagogik
Markus Wiesner
Mode
Filia Manikas
Mode

1999/2000

Beatrix Bakondy
Gestaltungslehre
Filip Fiska
Mode
Erwin Hafner
Bildende Kunst
Nada Nassrallah
Design
Ben Pointecker
Bühnen- und Filmgestaltung
Karin Stiglmair
Design

2000/01

Ruth Brauner
Bildende Kunst
Florian Frey
Design
Christiane Gruber
Mode
Ute Müller
Bildende Kunst
Ute Ploier
Mode
Rainer Schneider
Experimentelles Gestalten
und Raumkunst

2001/02

Christoph Kumpusch
Architektur
Lisa Ehrenstrasser
Design

2001/02

Iris Eibelwimmer
Mode
Markus Hausleitner
Mode
Constantin Luser
Experimentelles Gestalten
und Raumkunst
Waltraud Schartmüller
Konservierung
und Restaurierung

2002/03

Sophie Grell
Architektur
Matthias Bär
Architektur
Iris Staudecker
Mode
Bianca Scharler
Medienkunst
Liddy Scheffknecht
Kunstpädagogik
Andrea Schrenk
Konservierung
und Restaurierung

2003/04

Martin Eder
Medienkunst
Valerie Lange
Mode
Doris Zaiser
Mode
Michaela Kirchknopf
Malerei

2004/05

Eva Diem
Architektur
Miura Masato
Design
Danijel Radic
Mode
Martin Sulzbacher
Mode
Claudia Larcher
Medienkunst
Michaela Payer
& Martin Gabriel
Medienkunst
Nina Springer
Fotografie
Stefan Zsaitsits
Malerei

2005/06

Dumene Comploi
Architektur
Christina Berger
Mode
Korinna Lindinger
Bild. u. Mediale Kunst
Thomas Kwapil
Bild. u. Mediale Kunst
Kay Walkowiak
Kunstpädagogik
Maria Margaretha Gruber
Restaurierung
und Konservierung

2006/07

Peter Fritzenwallner
Malerei
Patrick Topitschnig
Bildhauerei / Plastik
und Multimedia
Christian Schröder
Bildhauerei / Plastik
und Multimedia
Isabelle Steger
Mode
Weiwei Xu
Mode
Peter Mitterer
Architektur

2007/08

Markus Bacher
Malerei
Eva Chytilek
Bildhauerei / Multimedia
Astrid Deigner
Mode
Andrea Hanzl
Industrial Design
Matthias Kendler
Werkerziehung /
Bildnerische Erziehung
Christina Steiner
Mode

Brigitte R. Winkler

Das Adlmüller-Stipendium an der Modeklasse der ›Angewandten‹

Kennen gelernt habe ich Fred Adlmüller zu Beginn der 1980er Jahre. Er der Grandseigneur der Wiener Mode, ich die neugierige Mode-redakteurin der Tageszeitung *Kurier*. Bewundert habe ich ihn sofort. Für seine eleganten, wienerischen Kollektionen von internationalem Niveau. Lieben gelernt hab' ich ihn Mitte der 80er Jahre im U4. In Ossi Schellmanns legendärer Disko, in der heimische und internationale Stars einander die Klinke in die Hand gaben: Falco und Prince, Sade und Udo Jürgens, Nirvana und Leigh Bowery, Helmut Lang und Hansi Lang. Was das mit Mode zu tun hat?

1982 beklagten sich Studentinnen der Modeschule Hetzendorf bei Ossi Schellmann, dass sie nirgendwo in Wien ihre Mode präsen-tieren könnten. »Bringt's es her!« antwortete dieser spontan, und die jungen Designer stürmten mit hemmungslosen Entwürfen seine wilde Hütte. Ein Laufsteg war schnell errichtet, Mario Soldo als genialer Moderator entdeckt. U-Mode hieß das Spektakel.

Alljährlich zog das fetzige Festival mehr und mehr junge Leute an, wurde immer professioneller gehandhabt, mit Präsentationen, Modeschauen und Preisverleihung. 1986 fragte man Fred Adlmüller, ob er nicht in die Jury kommen wolle. Klar kam er. Mit seinen 77 Jahren so jung, so offen und so treffend im Umgang mit den Nach-wuchs-Modeleuten und in der Beurteilung ihrer Arbeit, dass man ihn dafür einfach lieben musste.

Überrascht hat mich seine testamentarisch festgelegte, groß-zügige Geste, einen Teil seines Vermögens der Jugend zu widmen, daher nicht. Aber unglaublich begeistert. Und groß war meine Freude, als ich von Rektor Gerald Bast, dem damaligen Vorsitzenden der Fred Adlmüller-Stiftungskommission, eingeladen wurde, an den Jury-sitzungen zur Vergabe der Jahresstipendien teilzunehmen. Als Mode-fachfrau von außen, wie es die Bestimmungen der Stiftung vorsehen. Bis zu diesem Zeitpunkt gab es bereits acht PreisträgerInnen. Gleich die Erste, Susanne Bisovsky, stellt ihre außergewöhnliche Bega-bung immer wieder unter Beweis. Wenn es darum geht, Elemente der österreichischen Tracht neu zu interpretieren. Zunächst, als die geborene Linzerin zwei Jahre nach Erhalt des Stipendiums mit Aus-zeichnung bei Helmut Lang ihr Diplom ablegte, mit der Kollektion *be tracht ung*. Ein Foto mit Naomi Campbell in einem rosa Kleid von Lang, das Bisovsky für ihn erarbeitet hatte, ging um die Welt. Aus-gangsmaterial für das hautenge ›dress of the year‹ 1995: in Latex gegossene Spitze. Nicht weniger spektakulär ihre Entwürfe für Austrian Embroideries, oder die Kollektion *Wiener Chic*, die sie auf

Modeprozession durch den 1. Bezirk in Wien schickte. 2008 entwarf sie die Kostüme für *Das Land des Lächelns* in der Wiener Volksoper.

»Helmut Lang hatte mich seinerzeit mit der Begründung vorgeschlagen, dass es niemand anderen in Österreich gäbe, der für diese Auszeichnung in Frage käme«, erinnert sich Susanne Bisovsky gerne an ein Statement ihres damaligen Professors an der Angewandten. Und an Fred Adlmüller denkt sie mit Wehmut zurück: »Namen wie Adlmüller zerschmelzen natürlich auf meiner Designerzunge, da allein die damit verbundene Zeit, die Sicht auf die Mode, einen romantischen Nerv in mir wecken. Ich denke, das Haus Adlmüller war der letzte Wiener Couturesalon. Wenngleich vieles mit diesem Namen in Zusammenhang Gebrachte verschroben und antiquiert wirkt, ist es doch genau dieses Flair, nach dem ich mich weit abseits der heutigen ›Modeszene‹ sehne.«

Oder Helga Schania. 1997 gründete sie mit Hermann Fankhauser das Label *Wendy & Jim*, das seither in sämtlichen relevanten Magazinen dieser Welt zu sehen war und in vielen Shops von Japan bis Amerika zu haben ist. »Ich habe zwei Mal eingereicht. Beim ersten Mal war ich im zweiten Semester, also zu früh dran, laut Bestimmungen. Da hat es nicht einmal genützt, dass sich mein Professor, Helmut Lang, vehement für mich eingesetzt hat«, erinnert sich Helga »Wendy« Schania. Beim nächsten Mal waren dann alle von Adlmüller festgelegten Bedingungen erfüllt. »Das Stipendium von cirka 50.000 Schilling hat mir ermöglicht, dass ich keinen Nebenjob annehmen musste. Das war ja richtig viel Geld damals.« Auf die Ausstellung war Helga Schania schon sehr gespannt: »Ich habe die Sachen von Professor Adlmüller ja nur vom Hörensagen gekannt. Später habe ich bei einer Kundin, für die er sehr viel angefertigt hat und die alles gesammelt hat, erstmals so eine Maßkleidung angegriffen. Da wurde sehr viel mit der Hand genäht. Eine interessante Mischung aus Couture und Schneiderkunst. Super, dass man sich das jetzt genau anschauen kann.« Selbst arbeiten Wendy & Jim gerade an der zweiten Auflage Ihrer Jeanslinie *New H by Wendy & Jim*. »Die erste hat super eingeschlagen«, freuen sich die zwei. Die jetzt mit dem industriellen Produkt Geld sammeln wollen (Helga Schania: »Wie der Professor mit dem Geschäft in der Kärntner Straße.«), um dann wieder in die eigene Linie investieren zu können.

Oder Filip Fiska. Auch er nahm sich jemanden an die Seite. Mit Agnes Schorer baut er zielbewusst und konsequent am internationalen Bekanntheitsgrad von *Hartmann Nordenholz*. »Leider habe ich den Professor nicht mehr persönlich gekannt«, erzählt der blonde Wiener, der 13 Jahre alt war, als Fred Adlmüller starb. »Aber die Nähtechnik-Professorin und die Strickdame auf der Angewandten haben so von ihm geschwärmt, dass man ihn zu kennen glaubte. Und vom Stipendium hat man so auch erfahren.« Also bewarb er sich, denn »das Geld ist schon ein Anreiz«. Fiska setzte sich dafür mit seiner bisherigen Arbeit auseinander, fotografierte alles für die Mappe, stellte eine neue Kollektion zusammen. Ließ sich nicht entmutigen, als er nicht gleich gewann. Zeigte Beharrlichkeit, die man in der Modebranche unbedingt braucht und konnte schließlich die beachtliche Geldsumme einstreifen. »Das Geld hat mir sehr geholfen zu überleben. Das Studium ist doch sehr aufwändig. Es ist jedenfalls wieder in die Wirtschaft geflossen«, erinnert er sich schmunzelnd.

Ute Ploier hat sich damit den Abschluss finanziert. »Das Geld war ganz wichtig für mein Diplom. Es hat gut gepasst, weil es meine erste Männerkollektion war, die erste größere Kollektion überhaupt.« Mit der die frisch gebackene Diplomandin noch zweimal reüssierte: Bei den *Austrian Fashion Awards 2003* bekam sie für ihre Abschlusskollektion *Noli me tangere* den Modepreis der Stadt Wien und – für die angestrebte internationale Karriere noch bedeutender – als erste österreichische Designerin im gleichen Jahr auch den renommierten *Prix Hommes* für die beste Männerkollektion beim internationalen Modefestival in Hyères. Das lenkt viele wichtige Augen von Einkäufern internationaler Boutiquen und Medienleuten auf einen. Bei den Männermodeschauen in Paris steht Ute Ploier inzwischen ganz selbstverständlich auf der Liste der mitmachenden Designer.

Auch Christiane Gruber hat das Stipendium als »eine tolle Möglichkeit, während des Studiums eine Kollektion auf die Beine zu stellen«, begrüßt: »Ich habe mir damit mein Konto saniert und gleich die nächste Kollektion finanziert.« Dazu hat sie die »erste Erfahrung mit einer Jury« als »sehr lehrreich« empfunden. Auch sie findet man mit ihrem Label *Awareness & Consciousness* regelmäßig in Showrooms in Paris. Kaufen kann man ihre Sachen in New York, Tokyo, Hong Kong und Basel.

Markus Hausleitner: »Ich habe das Adlmüller-Stipendium bei der ersten Einreichung 2002 erhalten, und war superglücklich. Rund 5.000 Euro, wenn ich mich richtig erinnere. Da ich neben dem Studium gearbeitet habe, hat mir das natürlich sehr geholfen. Zumindest zwei Semester, dann war das Geld in die Produktion der neuen Kollektion im Rahmen des Studiums geflossen.« *Bodies that matter* nannte er sie – in Anlehnung an Judith Butlers Werk *Körper von Gewicht/bodies that matter*. Markus Hausleitner: »Der Versuch, die Denkansätze von Judith Butler in ein ›oberflächliches‹ Medium wie Mode zu übersetzen, die Dekonstruktion von biologischem Geschlecht in Konstruktion von Kleidung, dürfte funktioniert haben.« Mit drei engagierten KollegInnen, Jakob Lena Knebl, Karin Krapfenbauer und Martin Sulzbacher (selbst auch ein Adlmüller-Preisträger) hat er inzwischen das Label mit dem vielsagenden und wohl originellsten Namen der Welt gegründet: *House of the very island's royal club division middlesex klassenkampf but the question is where are you, now*. Nach einigen Präsentationen in einem Showroom während der Damenmodewoche wählte man im Jänner 2009 erstmals die men's fashion week in Paris als Rahmen.

»Mode machen ist teuer«, weiß auch Danijel Radic. »Teuer und sehr zeitaufwändig.« Das Geld hat ihm damals sehr geholfen, eine Kollektion auf die Beine zu stellen, eine »Zusammenfassung all dessen, was ich bis dahin gearbeitet hatte«. Was ihm selbst einen guten Gesamtüberblick über die eigene Arbeit gab. Und: »Das Stipendium ist auch eine Bestätigung für das, was man lebt, für das man bebt«, sagt er lächelnd und erschöpft an der Seite von Priska Morger nach dem erfolgreichen Debut der Radic/Morger-Kollektion in Paris.

Und wie kommt man zu einem Stipendium? Es ist sehr interessant und oft – leider nicht immer – staunens- und bewundernswert, wie viel Arbeit sich die Studenten für die Einreichung machen. Nachdem die Jury alle Präsentationen intensiv begutachtet hat, beginnen wir die entscheidenden Runden zur endgültigen Auswahl der Preisträger immer mit den Mode-StudentInnen, wohl ganz im Sinne des ehemaligen Professors Adlmüller (1973 bis 1979). Manchmal geht das sehr schnell, manchmal gehen die Meinungen weit auseinander, und es wird hitzig diskutiert. Sich mit einem Künstler wie Erwin Wurm, zuständig für die eingereichten Arbeiten der Bildenden und medialen Kunst zum Beispiel, über modisch zeitgemäße, für die Mode von morgen relevante Aspekte auseinander zu setzen, ist spannend.

Und genau darauf kommt es mir bei der Begutachtung der eingereichten Modelle vor allem an: Ist die Studentin, ist der Student, imstande, über hübsche, originelle Kleidung hinaus den Nerv der Zeit zu treffen, eine Ahnung von dem, welche Bedürfnisse der Mensch von morgen haben wird, in die Arbeit einfließen zu lassen?

Noch spannender: Gibt es womöglich einen neuen Helmut Lang zu entdecken, der dies exemplarisch konnte und dadurch zum weltweiten Trendsetter wurde?

Manchmal haben sich so viele Modestudenten beworben, dass man problemlos zwei Kandidaten durchbringt. Weil ausnahmsweise einmal die Architektur, die Malerei oder auch die Medienkunst nicht so stark besetzt sind. Dann fragt man sich: Warum reichen eigentlich nicht alle Studenten ihre Arbeit ein?

In jedem Fall: Jeder, der in Zeiten wie diesen eine internationale Modekarriere anstrebt, ist zu bewundern. Es braucht so viel Talent, Mut, Ehrgeiz, Glück und vor allem Arbeitseinsatz bis zum Umfallen. Und natürlich jede Menge Geld, das wusste Fred Adlmüller nur zu gut. Es macht sehr viel Freude, in seinem Namen daran beteiligt sein zu dürfen, jemandem auf den ersten Schritten in Richtung dieser herausfordernden Laufbahn ein bisschen Unterstützung zukommen lassen zu können.

Brigitte R. Winkler wechselte vom Germanistik- und Kunstgeschichte-Studium in den Journalistik-Beruf. Nach ersten beruflichen Erfahrungen Leiterin der Frauenredaktion im *Kurier*. Nach Einstellung der Frauenseite Moderedakteurin. Seit 1982 regelmäßiger Besuch und fotografische Dokumentation aller wichtigen internationalen Modeschauen. Genaue Kenntnis der relevanten Persönlichkeiten und Vorgänge im österreichischen und internationalen Modebusiness. Autorin des Buches *Weltmeister der Mode. Von Armani bis Yamamoto* (Wien 1992). Nationale und internationale Experten-, Vortrags- und Jury-Tätigkeit sowie Beiträge für diverse Modemagazine im In- und Ausland. Nach Herbert Schill, der von 1993–2000 als externes Jurymitglied der Adlmüller-Stiftung fungiert hatte, übernahm sie diese Funktion ab 2001.

Fred Adlmüller-StipendiatInnen Studienzweig Mode

Studienjahre 1993/94–2007/08

Alle im Folgenden abbgebildeten Outfits stammen aus den Einreichungen für das Adlmüller-Stipendium.

Susanne Bisovsky
1993/94

Andrea Eva-Maria Unger
1994/95

Helga Schania
1995/96

Sergej Schmid
1996/97

Ernst Feichtl
1997/98

Markus Wiesner
1998/99

Filia Manikas
1998/99

Filip Fiska
1999/2000

Christiane Gruber
2000/01

Ute Ploier
2000/01

Iris Eibelwimmer
2001/02

Markus Hausleitner
2001/02

Iris Staudecker
2002/03

Valerie Lange
2003/04

Doris Zaiser
2003/04

Danijel Radic
2004/05

Martin Sulzbacher
2004/05

Christina Berger
2005/06

Isabelle Steger
2006/07

Weiwei Xu
2006/07

Astrid Deigner
2007/08

Christina Steiner
2007/08

Susanne Bisovsky

1968	geboren in Linz
08	bof! Bauherrin an der ETH Zürich; *Wiener Chic* – Kostüme für *Land des Lächelns* / Volksoper Wien; Salon Privé
07	*Everlasting Collection II* – Modeschau MAK Nite Wien; *Jägerinnenkalender* – Ogilvy & Mather
06	Trachten-Special und T-Shirt Kollektion *Matrjoschkas* für Swarovski / Wattens
05	*Everlasting Collection* – MAK Nite Wien
03	Kollektion *Wiener Chic* – Modeprozession
94–07	Ständige Präsentationen: Austrian Embroideries: Première Vision / Paris
01	Unicef-Gala für Kinderhilfe Christina Rau – Berlin; T-shirt Serie für Kathleen Madden Charity
01	Designerin bei Sportalm / Kitzbühel
00	Erstkollektion für Kathleen Madden
99	Kollektion *Rosa Korn* – Summer Stage / Wien
98	European Young Designers Show, Natural History Museum, Vertretung für Österreich / London
97	*Fashion Salon*, Orangerie Schönbrunn / Wien
96	Lehrauftrag, Hochschule für ang. Kunst Wien, Modeklasse; Präsentation der Kollektion F/S 97 bei der *CPD Country Fashion Show* Düsseldorf
96–99	Designerin bei Fa. Gössl / Salzburg
95	*style cafe*, Modeschau im Cafe Stein / Wien
93–95	Freie Mitarbeit bei Helmut Lang / Wien
93–94	Alcantarakollektion / Florenz
92	*Black & White*, Modeschau der Hochschule für angewandte Kunst Wien, Palais Liechtenstein
89	Freie Mitarbeit bei J.C. Castelbajac

Auszeichnungen

98	Preisträgerin beim *Blaas-Leinenwettbewerb*
95	Preisträgerin beim Wettbewerb *Silo am Bau*
94	*Crespy Trophy* (Plastikwettbewerb) / Mailand
93	Adlmüller-Stipendium
92	Landespreis für Österreich: *Concours International des Jeunes Creatéurs de Mode* / Paris

Ausbildung

95	Diplomarbeit *be tracht ung*, mit Auszeichnung
88–95	Studium, Hochschule für angewandte Kunst Wien, Meisterklasse Mode: J. C. Castelbajac, Vivienne Westwood, Marc Bohan, Helmut Lang
87	Matura mit Gesellenprüfung Schneiderei

Andrea Eva-Maria Unger

1989 – 1996	Studium des Modedesign an der Universität für angewandte Kunst Wien bei Jean Charles de Castelbajac, Vivienne Westwood, Marc Bohan und Helmut Lang
1994/95	Adlmüller-Stipendium
1996	Diplom

Sergej Schmid

1973	geboren in linz/donau
2000	abschluss des modestudiums an der ›angewandten‹
2000–2002	assistent beim avantgarde designer carol christian poell in mailand zuständig für die herren und damenkollektion und die konsulenzen für die schuhmarke *premiata* und bekleidung für *mandarina duck* und seine kunstprojekte
2002	arbeit an einem innenarchitektur projekt der firma *kaufmann-factory da* für den innenausbau der generaldirektion raiffeisen landesbank oö (zuständigkeitsbereich: materialien, farben und formen der möbel) zeitgleich konsulent für die schweizer schuhmarke *bally*: seniordesigner für die herren schuhe, die in mailand präsentiert wurden
2003	zwei saisonen arbeit an der kollektion der amerikanischen firma *projekt alabama*: dieses alternative label ist in den vereingten staaten bekannt, da es bw t-shirts recycelt hat, die dann von damen in alabama in quilt technik bestickt wurden – eine art heimarbeit-zirkel. daneben mitarbeit an kleineren schuhprojekten von namhaften designern in london und paris, die zum teil in geänderter weise verwendet, oder auch nie ausgeführt wurden
seit 2006	herrenschuh konsulent für ein namhaftes mailänder modehaus und
seit 2007	verantwortlich für die herrenaccessoires eines weiteren bekannten mailänder modehauses (bei beiden ist eine namensnennung wegen der stillschweigeklauseln derzeit nicht möglich)

Helga Schania

	Geboren am 15. September 1973 in St. Pölten
	Lebt und arbeitet in Wien
1994–1998	Studium Modedesign an der Universität für angewandte Kunst in Wien bei Helmut Lang und Jean Charles de Castelbajac
1992–1999	Studium Architektur an der Universität für angewandte Kunst in Wien bei Prof. Hans Hollein
1999	Diplom mit Auszeichnung Zusammen mit Hermann Fankhauser Gründung von *Wendy&Jim*
Seit 1999	Prêt-à-Porter Kollektionen/Modeschauen in Paris
2008	Gründung der Jeansbrand *New H*
2006–2007	Headdesigner von *LICONA*
2007	Headdesigner der Marke *Dick&Jane*

Qualifikationen

Modedesigner mit internationaler Erfahrung
im Bereich Prêt-à-Porter und Luxus
Seit 2004 spezialisiert auf Männermode
Styling und Art Direction für TV Werbespots
und ausgewählte Firmen
Zahlreiche Workshops und Vorträge an
Universitäten, u. a. am Bunka Institut of Fashion
in Tokyo, dem CCAC in San Francisco, der UNT
in Denton, Texas, FH beider Basel, FH Pforzheim

Ernst Feichtl

1973	in Neunkirchen, Niederösterreich geboren
seit 1994	in Wien
1995–1999	Universität für angewandte Kunst in Wien, Diplom
seit 1999	laufend Projekte in den Bereichen Kunst, Kultur, Design und Fotografie (www.ernstherold.com)

Ernst Feichtl arbeitet im Bereich Konzeption, Multimedia, Bildvisualisierung und Design in den unterschiedlichsten Konstellationen frei im Kulturbetrieb.

Markus Wiesner

1995–2000	Studium der Mode an der Universität für angewandte Kunst Wien bei Helmut Lang, Jean Charles de Castelbajac, Paolo Piva und Viktor & Rolf
1998/99	Adlmüller-Stipendium
2000	Diplom

Filia Manikas

1975	geboren in Wien
1995–2001	Studium des Modedesign an der Universität für ang. Kunst Wien bei Helmut Lang, J. C. de Castelbajac, Viktor & Rolf und Raf Simons
2001	Diplom mit Auszeichnung (Kollektion *Nadsat)*
2002	junior designer bei Hugo Boss, Deutschland
2003	Gründung Label *filia*
2004	Erste *filia*-Kollektion mit dem Titel *eleftheria*
2005	Neben zwei *filia*-Kollektionen pro Jahr Beginn der Serie *Season Girls*

Filia Manikas lebt und arbeitet
in Österreich und Griechenland.

filia

2008	*nobody go out there* spring/summer 2008
2007	*obsessions* autumn/winter 2007/8
	addictions spring/summer 2007
2006	*season girls*, Katalog
	september girls fall/winter 2006/7
	april girls spring/summer 2006
2005	*december girls*, Katalog
	december girls fall/winter 2005/6
2004	*eleftheria* 2004/5, Katalog
	eleftheria, spring/summer 2005

Projekte

2007	*traveler's tree, adventure nightwear* – neues Design für Reisenachtwäsche der Firma *cocoon*
2006	*trenka tex imagewear by filia*, Image Bekleidung für den Arbeitsschutz, trenka, Wien
2006	*filia vs. ballesterer*, Serie mit Drucken für das Magazin *ballesterer* zur Fußball WM 2006
2005	*filia's ikat girls* s/s 2005 & a/w 2005/6 Ausstellungsreihe in Wien

Preise

2005	Finalistin beim Ringstrassen Galerien Designer Award 2005, Wien
2002	Premiere, Universität f. angewandte Kunst, Wien
2001	Würdigungspreis des BM für Bildung, Wissenschaft und Kultur und Preis der Österreichischen Textilindustrie für die Diplomkollektion *Nadsat*
1999	Adlmüller Stipendium

Filip Fiska

1976	am 28. 9. geboren in Wien
	Matura, anschließend Schneiderlehre
1996–2002	Studium des Modedesign an der Universität
	für angewandte Kunst bei Jean Charles
	de Castelbajac, Paolo Piva, Viktor & Rolf
	und Raf Simons
2000	Gründung des Labels *Hartmann Nordenholz*
	gemeinsam mit Agnes Schorer
2002	Diplom
	Seither als Designer für *Hartmann Nordenholz*
	im internationalen Bereich tätig

Christiane Gruber

1975	geboren in Waldbach, Steiermark
1996–2002	Studium Modedesign, Universität f. angewandte Kunst Wien bei Jean Charles de Castelbajac, inter. Paolo Piva, Viktor & Rolf, Raf Simons
2008	Kollektion Spring / Summer 2009 Fashionweek in Paris; Kostüm-Design / Original-Wiesenthal-Tänze *Hommage an Grete Wiesenthal*, Odeon und Austrian Dance Festival, St. Pölten; Austrian Fashion Awards 08, Gewinnerin des Modepreises der Stadt Wien, Juni 08; *Geom.* und *Guerilla Store*, 8 festival for fashion & photography; *Never get cold* Autumn/Winter 2008/09, Showroom Rendez-Vous Femme, Paris
2007	*Never get lost* Spring/Summer 2008, Showroom Rendez-Vous Femme, Paris; UO-Fashion Shows by Peter Pilotto, Awareness & Consciousness, Christian Wijnants, Pelican Avenue and Swash, 7 festival for fashion & photography; *Ende Neu*, Ausstellung Park, Wien, 7 festival for fashion & photography; Ringstrassen Galerien Designer Award 07; *I know what you did* Autumn/Winter 2007/08, Showroom Rendez-Vous Femme, Paris
2006	*I know you dream of me* Spring/Summer 2007, Showroom Rendez-Vous Femme, Paris; Bread & Butter Berlin; 6 Festival for fashion, music & photography, Shopzone, Wien; *Left Hurts* Autumn/Winter 2006/07, Showroom Rendez-Vous Femme, Paris
2005	*Awareness & Consciousness* Spring/Summer 2006, Präsentation Betonsalon, Paris und Showroom Rendez-Vous Femme, Paris; Gründung des Labels *Awareness & Consciousness*; Accessoires gemeinsam mit Anneliese Schrenk
2003	Praktikum bei Haider Ackermann und A. F. Vandevorst, Antwerpen, Belgien
2002	Modepreis des bm:uk Rondo Award / Barclay Catwalk, Zürich
2001	Fred Adlmüller-Stipendium / Diva Award Fashionshow Gwand, Luzern

Ute Ploier

1976   geboren in Linz / Österreich

2007   Finalistin des Swiss Textile Awards / Show in
Zürich; *time-loopers* / menswear fashion week
Paris; Show im Espace Commines; Showroom
Galerie Nuke / Paris; *the messenger* / menswear
fashion week Paris; Show im Espace Commines;
Showroom Rendez-vous Homme / Paris

2006   *black lizard* / menswear fashion week Paris
Show in 18, rue du Faubourg du Temple
Showroom Rendez-vous Homme / Paris
Showroom Bread & Butter / Berlin
onemanshow Show Fashionweek Madrid
und menswear fashion week Paris; Show im Salle
Gaveau; Showroom Rendez-vous Homme / Paris

2005   Unit f Preis für internationale Presse
Show in der Kunsthalle / MUMOK Wien
charming crooks worldtour 2006 / menswear
fashion week Paris; Showroom Rendez-vous
Homme / Paris; London Fashion Week;
Showroom Rendez-vous meets Eye2Eye /
London; *PIONEERS* / menswear fashion week
Paris; Showroom Rendez-vous Homme / Paris

2004   R.O.A.R / menswear fashion week Paris
Show in der Galerie Bétonsalon / Paris
Showroom Rendez-vous Homme / Paris
electrification / menswear fashion week Paris
Show im Pariser Mode- und Textilmuseum
Union centrale des arts décoratifs
Showroom Romeo / Paris; Premiere Stipendium

2003   Prix Hommes / Preis für die beste Männer-
kollektion, Festival International des arts
de la mode Hyères / France; Show und
Installation in der Villa Noailles / Hyères
Modepreis der Stadt Wien
Diplom an der Universität für angewandte Kunst
Wien, Diplomkollektion *noli me tangere!!!;*
Show und Installation im Künstlerhaus / Wien

2001   Gwand Fashion Festival in Luzern / Schweiz
Fred-Adlmüller Stipendium

1996   Universität für angewandte Kunst in Wien,
Professoren: Raf Simons, Viktor & Rolf,
J. C. de Castelbajac; Shows und Ausstellungen
in Wien, Berlin und Luzern

1994   Central St. Martin's College / London,
fashion & graphic design department

Ute Ploier lebt in Wien. Seit 2003 Aufbau
des eigenen Labels, 2 Kollektionen jährlich.

Iris Eibelwimmer

1972	geboren am 23. Februar / Wels / Oberösterreich
87–90	Lehre zur Einzelhandelskauffrau und Dekorateurin / Fa. Dantendorfer / Linz
90–96	HTL für Graphik-Design plus Meisterklasse / Linz
96–97	Graphikerin bei Meier & Laggner / Wien
94–04	Universität für angewandte Kunst Wien / Modeklasse, Professoren: J. C. de Castelbajac, Victor & Rolf, Raf Simons
00–01	Konzeption und Realisation der Modelinie *only naked is better* für die Lomographische AG / Wien
04–05	Praktikum bei La Perla / Bologna / I
05–	Designerin bei 120% Lino / S. Agata Bolognese / I

Preise

1998	Crespy-Award / Milano / I (Design-Preis)
2002	Adlmüller-Stipendium / A
2004	Its 3-Award / Triest / (Diesel Design-Preis)

Markus Hausleitner

1969	geboren in Linz / Österreich
	Handelsakademie
	Studien: Soziologie, Johannes Kepler Universität, Linz; Modedesign, Universität für angewandte Kunst Wien, Professoren: Paolo Piva, Viktor & Rolf, Raf Simons
2004	Juni Diplom
1991–1998	Arbeit bei verschiedenen Firmen
1995–1998	Leiter der Dekorationsabteilung von Turek Moden (Decoration, Schaufenstergestaltungen, Geschäftskonzepte, Graphik, Styling, Einkauf)
1998	Studium des Modedesign, Universität für angewandte Kunst Wien
2001	Ko-Kurator von project space *auto*, Wien
2005	Gründung des Labels *house of the very island's royal club division middlesex klassenkampf, but the question is where are u, now?* gemeinsam mit Jakob Lena Knebl, Karin Krapfenbauer und Martin Sulzbacher

----

Shows + Ausstellungen

1999	Die grossen 10, Künstlerhauspassage, Wien
2000	*I love fashion*, Galerie Fast Forward, Berlin
	Defile, Show, Die Clique, Wien
2001	MAK, Modeschau, Wien
	Museumsquartier, Show *best of...*, Wien
	Barclay Catwalk, Amsterdam
	Barclay Catwalk, Zürich
2002	Künstlerhaus, Show
2003	Fashion Show, Arsenal, Wien
	Gwand, Modeschau, Luzern, Schweiz
2004	Fashion Show, Arsenal, Wien
	Austrian fashion week, Show, Museumsquartier

2006 Präsentation Paris
    Showroom Rendez Vous, Paris
    Speerstra Gallery,
    Installation + Video Präsentation, Paris
    Showroom Anna Flatz, Paris
    Showroom + Video Präsentation
    6 Festival for fashion, music & photography,
    Show, Wien
2007 Präsentation Paris
    Showroom Anna Flatz, Paris
    Showroom + Video Präsentation
2008 Präsentation Berlin, Projektgalerie (Juli)
    Show Amsterdam, Amsterdam Denim Award (Juli)

Preise + Auszeichnungen

2001 Diva-Fashion Award
    Barclay Catwalk-Fashion-Award,
    Amsterdam, Zürich
2002 Diesel Fashion Award
    Diva-Fashion Award
    Fred Adlmüller-Stipendium
2003 Gwand, Luzern, Schools Award
2004 Diva-Fashion Award
    Modepreis der Stadt Wien
2006 Die Presse Preis für Internationale PR

Iris Staudecker

Ausbildung

1989–1997	Bundesrealgymnasium Waidhofen an der Ybbs
1998–1999	Modeschule Hetzendorf,
	Kolleg für Bekleidungstechnik
1999–2005	Studium Modedesign an der Universität
	für angewandte Kunst Wien bei Viktor & Rolf
	und Raf Simons
	Diplom 2005 in Modedesign
2003–2004	Erasmus Studium Industrial Design,
	IADE in Lissabon, Portugal

Beruflicher Werdegang

1999–2002	Ausstattung für diverse Film-
	und Theaterproduktionen, Wien
2005–2006	Designassistentin, Jack Wolfskin,
	Idstein, Deutschland
2006 bis heute	Design und Development Hardware,
	Mammut Sports Group AG, Seon, Schweiz

Preise und Ausstellungen

2003	Adlmüller-Stipendium
2005	Ausstellung der Kollektion *Epithelium*
	in Paris Extrapole – Espace Landowski
	und am Paracityfestival, Wien
2007	Isop Award 2007 Nominierung für *KIRA*
2007	*The Nose* El Capitan, U.S.A.
2008	Outdoor Industry Award für *SHIELD*

Valerie Lange

Ausbildung

Seit 1996	BWL, WU Wien, Diplom Dezember 2008
2001–2005	Modedesign. Universität für angewandte Kunst Wien, Diplom 2005
1999–2000	Modedesign. Königliche Akademie der Schönen Künste, Antwerpen
1994–1996	Kolleg für Mode und Bekleidungstechnik Michelbeuern, Wien
1986–1994	Wirtschaftskundliches Realgymnasium, Grg19, Wien, Matura 1994

Berufserfahrung

Seit Aug 2007	Fabrics Interseason, Wien: Schnittmacherin und Produktion
Seit Aug 2005	Christian Wijnants, Antwerpen: Schnittmacherin
2005–2006	Jil Sander, Mailand: Junior Designerin
2003–2008	P2, Palmers, Wien: Freelance Styling Assistenz
Sommer 2002	Oli & Vera Capara, Antwerpen. Praktikum
Sommer 2001	Gregor Pirouzi, Wien: Schnittmacherin

Preise und Ausstellungen

2003	Diva Editorial Award Gruppenausstellung *The Essence*, 20er Haus, Wien
2004	Diva Editorial Award Fred Adlmüller Stipendium

Non Profit

Seit Dez 2006	Kuratorin von: Quelle – Plattform für Kunst und Kultur

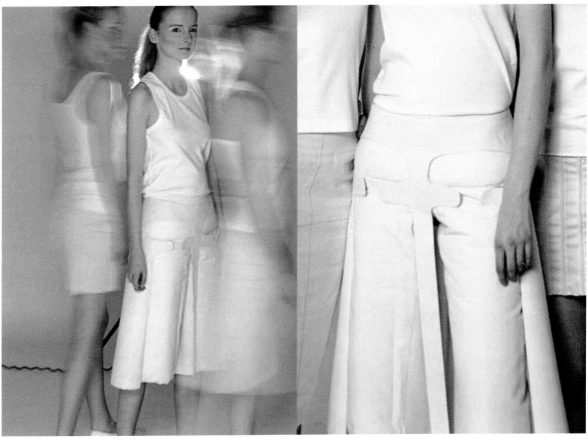

Doris Zaiser

Geboren: 1980. Volksschule, Gymnasium.
1999: diverse Studien an der Universität Wien
getestet. 2000: Universität für angewandte
Kunst Institut für Design / Mode. 2002–2003:
2 Semester an der University of Art and Design
Helsinki (TAIK) Product Design, Textile Art
Environmental Art. 2004: Fred-Adlmüller Stipendium. 2004–2005: 4-monatiges Stipendium
für eine Recherche der Trachten, Mode & Kultur
im Süden Mexikos. 2005: Diplomkollektion
Mexiko 2005. 2006: Otto-Prutscher-Fonds
Preis der Universität für angewandte Kunst.
2006: *maßlos reizend*; Ausstellung in der
FACTORY / Kunsthalle Krems. 2007: Assistenz
eines Filmprojektes in Nigeria / Oshogbo. 2007:
DesignBLOK in Prag. 2008–2009: Radlager
Palazzo: www.radlager.at …

Danijel Radic

1977	geboren am 7. April in Wien
2008	Unterstützung von *Unit f – büro für mode* beim Aufbau von Corporate Identity (CI), Label, Website und bei deren erster Präsentation im März in Paris
2007	Diplom Modesdesign an der Universität für angewandte Kunst Wien (Studium bei den GastprofessorInnen Raf Simons und Véronique Branquinho) April: Präsentation einer limitierten Kollektion (Frühling/Sommer 07) im neuen Flagship-Store *Mode Mühlbauer* Wien
2005	Adlmüller Stipendium
2003–2007	Freiberuflicher Consultant Designer für *Hutmanufaktur Mühlbauer*, Wien
2008	Gründung des Labels *Radic/Morger* gemeinsam mit Priska Morger

Martin Sulzbacher

1980	geboren in Linz/ Oberösterreich
1998	Matura Oberstufenrealgymnasium Stifterstrasse Linz
1998/1999	Zivildienst
1999	Aufnahme in die Modeklasse/Universität für angewandte Kunst, Wien
1999–2005	Studium in der Modeklasse bei Viktor & Rolf, dann bei Raf Simons Projekte: u.a.: Unesco Design 21 exhibitions in New York und Paris, Videopräsentation im Rahmen der Rudi Gernreich Ausstellung/ Steirischer Herbst 2000, Shows im Museum für angewandte Kunst, Künstlerhaus und Arsenal
2004	Mitbegründung des Modelabels *house of the very island's royal club division middlesex klassenkampf, but the question is: where are u, now?*
2005	Diplom in der Modeklasse Raf Simons, Rondo Modepreis, Fred Adlmüller Stipendium
Seit 2005	Womens Designer bei Jil Sander in Mailand Regelmäßige Präsentationen mit *house of the very island's...* in Paris/women's fashion week und Vienna fashion week
2007	Pressepreis/Austrian Fashion Awards für *house of the very island's...*

Christina Berger

1980	geboren in Villach
1990–1999	BG St. Martiner Straße, Villach
Sep 99–Jun 01	Studium Publizistik und Deutsche Philologie, Universität Wien
Feb 02–Jun 02	London College of Fashion – Fashion Short Courses
Sep 02–Jun 03	Modeschule Hetzendorf, Wien
Jun 03	Stipendium der Stadt Wien
April 03	Central St. Martins College, Workshop
August 03	Bespoke Shoemaking Workshop
Seit Okt 03	Universität für angewandte Kunst Wien, Modeklasse (Raf Simons, Véronique Branquinho)
Jun 04	Show Angewandte 04 *Les Androgynes*
Jun 05	Show Angewandte 05 *Hänsel and Object*
Sep 05	FM4 Fashion and Sound/*Hänsel and Object*
Jun 06	Show Angewandte 06 *Du hochlandwilde scheue Maid – Geierwally vs Liquid Sky*
Jun 06	Fred Adlmüller-Stipendium
Jul 06	Show Kunsthalle Schirn, Frankfurt
Oct 06	Gründung des Labels *Christina Berger*
Oct 06	Ausstellung *100 Dresses*, MuseumsQuartier, Wien
Feb 07	Showroom Anna Flatz, Paris, *AUTO:EROTIK* (Lips, Hips, Tits, Power) Autumn/Winter 07/08
Jun 07	Show Angewandte 07 *AUTO:EROTIK* 07/08
Jun 07	Video *CAR WASH*
Sep 07	Präsentation *HEIDI WAS A SERIAL KILLER*, Vol. 1 Spring/Summer 09
Jan 08	Ausstellung *BREAD AND BUTTER BARCELONA*
Feb 08	Showroom Apartment, Berlin, *HEIDI WAS A SERIAL KILLER*, Vol. 2, Autumn/Winter 08/09
März 08	Nominierung für den Modepreis der Stadt Wien
Jul 08	Showroom Apartment, Berlin, *W.U.R.S.T Case Scenario*, Spring/Summer 09, in Kollaboration mit 22 Quadrat/Bremen – Raumgrafik

Isabelle Steger

Ausbildung

2003–2008 Universität für angewandte Kunst Wien
Modeklasse bei Raf Simons
und Véronique Branquinho

Berufserfahrungen

Oktober 2008 Carte Blanche beim Arts of Fashion
International Design Symposium, San Francisco
(Show Präsentation)

Juli 2008 SS08 Präsentation bei Bread&Butter, Barcelona

Jänner 2008 Ausstellung im National Art Museum, Barcelona
(während B&B)

Sommer 2005 Praktikum bei (three)AsFour, NYC

Sommer 2003 Praktikum bei Vivienne Westwood, London, UK

Auszeichnungen und Preise

Mai 2008 Austrian Fashion Awards by Unit f
Preis des Bundesministeriums für Musik,
Unterricht, Kunst und Kultur

April 2008 Finalistin beim 23ème Festival International
de Mode in Hyères

Juni 2007 Bread & Butter Young Talent Prize
Teilnahme am B&B Studio, Juli 08

Juni 2007 Adlmüller Stipendium

Publikationen

Libération, Pop Magazine, Mixte Magazine,
Dazed&Confused, NEO2, Elle, Rondo, b-guided,
H Magazine, Indie Magazine u.a.

Weiwei Xu

Ausbildung

1998–2003	HBLA Oberwart für Mode, Österreich
2003–2004	Universität Wien, Theater- Film- & Medienwissenschaft, Österreich
seit 2004	Modeklasse, Universität für angewandte Kunst Wien unter Raf Simons und Véronique Branquinho, Österreich

----

Praktikum

6–9/05	Schnitt- & Fertigungsindustrie für Import und Export in Wenzhou, China

----

Projekte & Ausstellungen

2007	Adlmüller-Stipendium Ausstellung Wien Flakturm Ausstellung Wien
2008	Projekt für KING SIZE Bread&Butter, Barcelona

Preise

5/07	Adlmüller-Stipendium
6/07	Swiss Textile Prize

Astrid Deigner

Ausbildung

1997–2002	Höhere Lehranstalt für Mode und Bekleidungs-technik Hallein, Salzburg, Abschluss mit Matura
2002–2004	Speziallehrgang für Mode, Modeschule der Stadt Wien, Schloss Hetzendorf
Herbst 2004	Aufnahme in die Modeklasse bei Gastprofessor Raf Simons, Universität für angewandte Kunst Wien
seit Herbst 2005	Studium bei Gastprofessorin Véronique Branquinho

Arbeiten

Juni 2005	SHOW ANGEWANDTE 2005 *Streik dir halt was Schönes*, Sideproject: MASK
September 2005	Präsentation und Sample Sale der Kollektion *Purple rain* in Graz
Juni 2006	SHOW ANGEWANDTE 2006 *la peau douce* (Mata Hari, 1914)
Juni 2007	SHOW ANGEWANDTE 2007 *Schattenspiel*
Juni 2008	SHOW ANGEWANDTE 2008 *no more pigeon-hole*

Projekte

Juni 2007	Teilnahme Fred-Adlmüller-Stipendium Ausschreibung und Ausstellung 2006/07
Dezember 2007	Sample Sale der Modeklasse, Verkauf und Ausstellung im Ragnarhof, 1160 Wien
Jänner 2008	Gruppenausstellung der Studierenden, Bread&Butter Design Exhibition in Barcelona
seit Februar 2008	Gestaltung einer Vitrine im Wiener LeMeridien
Juni 2008	Fred-Adlmüller-Stipendium

Christina Steiner

Biografische Daten / Ausbildung

Geboren 1982 in Steyr

2002 Matura Handelsakademie Steyr

2004 Diplom Kolleg für Mode und Bekleidungstechnik
Herbststraße, Wien

ab 2004 Modeklasse an der Universität für angewandte
Kunst Wien unter der Leitung von Raf Simons
und Véronique Branquinho

Arbeiten / Auszeichnungen

2003 Kostümgestaltung Wiener Staatsoper

2007 Teilnahme Installation Susanne Winterling,
L'Union Rom
Videoinstallation *Storming Stills*, Ragnarhof

2008 Preisträgerin Adlmüller-Stipendium
Editorial B-Guided
Ausstellung Le Meridien, Wien

Andreas Bergbaur

Erfolg und Bedeutung Fred Adlmüllers im Hinblick auf die heutige Modeszene

Das Interview mit Andreas Bergbaur
führte Elisabeth Frottier am 6. 9. 2008 in Wien.

Elisabeth Frottier: Was für einen persönlichen Bezug hast du zu Fred Adlmüller? Gibt es für dich noch Erinnerungen an den Salon und die Boutique Adlmüller bzw. an Fred Adlmüller selbst – hast du ihn persönlich gekannt? — Andreas Bergbaur: Ich habe ihn nie persönlich kennen gelernt, habe in den späten 8oer Jahren aber im Shop, also im Store in der Kärntner Straße einmal eine ›Fred Adlmüller‹-Krawatte gekauft. Das war für uns Junge eher skurril: Man muss sich vorstellen, da gab es diese Leoparden aus Porzellan in Lebensgröße in der Auslage, alles war in einer Art Goldrausch und ›Wild Animal Print‹ gestaltet, das war nicht gerade die Richtung, die wir damals favorisiert und angestrebt haben. Aber sein Geschäft war immer präsent, wie zum Beispiel auch sein Parfum in dem umgedrehten Weinglas, diese Idee fand ich schon damals sehr geistreich und spannend. Auch er selbst war als Person immer präsent, das erste Mal bewusst als Designer bzw. Couturier wahrgenommen habe ich ihn – ich bin ja kein Wiener, ich komme vom Land – in Opernball-Übertragungen.

Fred Adlmüller war von 1973–79, als Nachfolger von Gertrud Höchsmann, Professor an der Modeklasse und damit der Letzte in der Reihe der ModeklasseleiterInnen, die einen langjährigen Vertrag hatten, bevor die kurzen und wechselnden Gastprofessuren unter Oswald Oberhuber eingeführt wurden. Gibt es von dir aus deiner Zeit an der ›Angewandten‹ noch Bezüge zur Lehrtätigkeit Adlmüllers bzw. zu dieser 70er-Jahre-Generation seiner Studierenden? — Aus meiner Studienzeit ist mir noch einiges präsent, da unsere Assistentinnen der Klasse (Elfriede Friedrich, Edeltraud Leh, Ilse Pace und Christa Mödler) die uns sehr viel beigebracht haben, ja sehr viel mitgenommen haben aus dieser Zeit, und das haben sie an uns weitergegeben. Da kamen schon viele Dinge zu Tage, wie alte Teile, die gezeigt wurden. Ich erinnere mich noch an das Modeseminar von Frau Leh, wo internationale Mode, aber eben auch Fred Adlmüller vorkam. In meiner Assistentenzeit haben wir einmal das ganze Institut durchforstet, alle Schränke aufgemacht und alles durchsortiert und entrümpelt. Da gab es unglaubliche Dinge, wie große goldene Tischlampen und Briefpapier von Fred Adlmüller, natürlich auch die ganzen Entwürfe, Mappen und fertigen Modelle von Studenten. Das hat natürlich auch eine intensive Beziehung zur Geschichte hergestellt. Das ist auch ein wesentlicher Punkt für so ein Institut: dass quasi die Geschichte bewahrt und auch gepflegt wird, immer schwierig in so kleinen Einrichtungen, aber ich glaube, dass dieser Punkt nicht vergessen werden darf.

Was war es genau, was du von Frau Leh vermittelt bekommen hast, abgesehen von dieser Stimmung dieser Persönlichkeit Adlmüllers, die du da beschreibst? Gibt es irgendetwas Spezifisches an seinem Stil, an seinem Qualitätsbegriff, seinen Anforderungen, seinen persönlichen Intentionen, was für dich, für deinen weiteren Weg relevant war, abgesehen davon, dass du über ihn informiert wurdest? — Was mich beeindruckt hat, war seine Idee von Couture, von einem sehr Parisorientierten Modebewusstsein – die Modelle waren fast immer bestickt, er war immer sehr aufwändig und luxuriös in seiner Ausdrucksform, war nie sehr zurückhaltend, im Gegensatz zu Gertrud Höchsmann, die ganz anders agiert hat. Dieser Gegensatz zwischen diesen beiden Personen war wahrscheinlich das Interessante, war das was mich am meisten beeindruckt hat, das was bei mir ›hängengeblieben‹ ist.

Das ›Adlmüller-Stipendium‹ ist eine bisher einzigartige private Stiftung in einer solchen Höhe für die ›Angewandte‹, die den hervorragendsten Studierenden aller Abteilungen des Hauses – unter der Bedingung, dass es stets auch ein Vertreter, eine Vertreterin der Modeklasse erhält – zugute kommt. Wie schätzt du die Bedeutung dieses Stipendiums für die Laufbahn junger Künstler, Designer ein? — Dieses ›Adlmüller-Stipendium‹, dieser ›Adlmüller-Fond‹, diese Schenkung ist einzigartig und wirklich ganz, ganz toll und drückt auch diese extreme Verbundenheit Adlmüllers mit der ›Angewandten‹ aus und auch, dass er seine Arbeit dort und seine StudentInnen und ihre Arbeiten sehr ernst genommen hat und dass er dort auch ›Zukunft‹ sah. Man investiert ja auch nur in etwas, wo man Zukunft, wo man Fortschritt sieht. Und das ist herausragend. Denn er war der Erste, der auf Mode gesetzt hat, auf Mode in Wien, auf Mode in Österreich und dieses Stipendium ins Leben gerufen hat. Ich glaube, es ist für die StudentInnen extrem wichtig, in so einer Zeit eine Anerkennung, eine Förderung, zu bekommen. Es hat mittlerweile – glaube ich – an der Universität unter den StudentInnen eine ziemliche Bedeutung und ist ein erster Schritt für eine Karriere auf jeden Fall. Im Bereich Mode war und ist es immer ganz entscheidend, so eine finanzielle Zuwendung zu bekommen. Es stellt sich die Frage, ob so ein Stipendium immer nur als finanzielle

Ausschüttung stattfinden sollte. Man könnte sich auch überlegen, ob mit diesem Geld nicht auch Leistungen verbunden werden könnten wie Atelier- oder Auslandsaufenthaltsmöglichkeiten. Es ist oft sehr wesentlich, Schritte zu fördern und zu setzen, die manche StudentInnen sonst nicht so schnell machen: Das ist nach wie vor in Wien nicht so einfach: Leute mehr ins Ausland zu bringen, mehr Kontakte, mehr Vernetzung herzustellen. Also eventuell könnte man das ›Adlmüller-Stipendium‹, also den Preis, mit Leistungen bzw. Serviceleistungen verbinden, um auch einem anderen Umfeld gerecht zu werden, das wir heute vorfinden. Es ist alles so viel globaler, ich denke, dass quasi auch die Ausbildung globalisiert ist mittlerweile und dass jede Förderung von Internationalität bei den StudentInnen extrem wichtig wäre.

Das ›Adlmüller-Stipendium‹ selbst ist wirklich eine einzigartige Form, ich möchte das nochmals intensiv unterstreichen: Es ist wirklich die erste sichtbare Förderung von einer Privatperson im Modebereich, das unterstreiche ich deshalb nochmals, weil es das vorher nicht gab. Von der Stadt Wien und dem Bundeskanzleramt, d.h. von der öffentlichen Hand, gab es wohl auch sporadische Förderungen, aber nicht in dieser Regelmäßigkeit, nicht als ein Programm. Und bei der Vergabe des ›Adlmüller-Stipendiums‹ ist es Programm, und das ist der Unterschied, und das finde ich ganz enorm. In diesem Wissen darum, dass nur Förderung und Unterstützung tatsächlich eine Zukunft für alle möglichen Bereiche im Kunstsektor bringen können, dass das einfach dringend erforderlich ist, da hat Adlmüller den ersten Schritt gesetzt. Und das finde ich einfach großartig und zugleich extrem visionär und offen.

Was hältst du für das persönliche Erfolgsrezept Fred Adlmüllers? Wie ist es ihm gelungen, eine derartige Prominenz, einen solchen wirtschaftlichen Erfolg zu erreichen? — Ganz maßgeblich für die Einschätzung einer solchen Arbeitsweise, einer solchen Karriere – im Vergleich zu heute – ist folgende Tatsache: Das war eine andere Zeit. Seine Karriere begann in den 30er Jahren in einem bestehenden Modehaus, das importiert hat. Er hat bei *Tailors, Stone & Blyth* quasi als Einkäufer gearbeitet, d.h. er war Einkäufer in einem Department Store und hat mit großartiger Sicherheit und Fingerspitzengefühl – oder besser Trendgefühl – Kollektionen/Kleider gekauft, die sich sehr gut verkauft haben bzw. wurden ja Modelle kopiert und dann in eigenen Ateliers nachgemacht. Vielleicht beruhte ja sein besonderes

Talent, Ware aufzuspüren, die den Geschmack der KundInnen traf, auf seiner branchenfremden Ausbildung als Koch, die dazu geführt hat, dass er sich in dieser Anfangszeit als quasi ›Buyer‹ so erfolgreich gezeigt hat. Diese Tätigkeit war sein persönlicher Kontakt zur Couture, Prêt-à-Porter gab es ja damals noch nicht in der heutigen Form. Als er das Haus dann nach dem Krieg selbst übernommen hat, als die bisherigen Inhaber von *Stone & Blyth* es ihm offiziell übergeben haben, hat er dann ja wirklich begonnen, an seiner eigenen Linie zu arbeiten, d.h. erst dann wurde das Haus wirklich ›Adlmüller‹, von da an gab es nur mehr Adlmüller-Entwürfe. Heute ist das Konzept anders: Wenn Leute studieren, ist von Anfang an alles auf die eigene Kollektion aufgebaut, auf eigene Ideen. Auch wenn man nachher bei anderen Designern arbeitet, ist die Karriere eine andere. Die Anforderungen und das Umfeld sind ebenfalls anders: Heute ist alles völlig international, jeder reist, jeder kauft dort ein, wo er einkaufen kann und will. Im damaligen Wien war das Haus *Stone & Blyth* und dann später *Adlmüller* eines der wenigen, das wirklich internationale Mode präsentiert hat. Und ich denke, dieser Kontakt mit diesen Personen, die dort eingekauft haben, war natürlich für Adlmüller wesentlich. Er ist sozusagen in dem Umfeld groß geworden, das ihm nachher auch seine Zukunft gegeben hat. Wenn man studiert, dann ist man in einem ganz anderen Umfeld, und wenn man nie in diesen Atelierbetrieb von ›Couture‹ eingebunden ist – und das gibt es ja heute überhaupt nur mehr ganz selten –, dann ist es schwierig, dieses Kundennetzwerk aufzubauen. Das war sicher ein wesentlicher Erfolgsteil bei Fred Adlmüller, natürlich neben seinem Talent, seiner Begabung, dieser Stilsicherheit, bestimmte Dinge zu machen, war er von Anfang an in einem gesellschaftlichen Umfeld, wo er sozusagen Zugriff auf die richtigen Personen hatte. Und das hat er gekonnt ausgebaut: von Königin Sirikit angefangen … Er hat also seine Kontakte auch wirklich internationalisiert.

Das gibt es heute nicht mehr: Die Karrieren sind eben nicht mehr ›Haute Couture‹- bezogen, sondern alle ›Prêt-à-Porter‹-bezogen, und da sind ganz andere Herausforderungen und Bedürfnisse maßgeblich. D.h. für StudentInnen heute ist es schwierig, aus der Geschichte Adlmüllers, quasi von der Struktur her, zu lernen. Was interessant wäre, ist die Frage: Wie weit kann man von so einem Modell profitieren, Erfahrungen sammeln? Ob das jetzt als Einkäufer oder als Assistent ist, um dann langsam die eigene Linie aufzubauen und zu finden. Das ist ja auch immer ein Prozess, das sieht man ja bei vielen DesignerInnen, wenn man die länger beobachtet, dass diese ersten Jahre ja sehr brüchig sind im Stil und dass viele Dinge sich erst herausbilden. Ich denke, das ist schon ein wesentliches Prinzip, das für alle nach wie vor gilt: In dieser Anfangsphase so viel wie möglich zu sehen, so viel wie möglich Austausch zu haben. Und das war bei ihm der Fall. Er ist viel gereist, war immer in Paris bei den Schauen, als Einkäufer noch oder auch später. Dieser Austausch von Ideen, dieser Austausch mit Personen, mit verschiedenen Stilrichtungen ist wesentlich, und das war auch ein großer Teil seines Erfolges. Wir sind nun einmal nicht eine der Metropolen, wo Mode groß stattfindet – als Event, als öffentliche Inszenierung, in Art der Fashion Week etc. Deshalb ist diese Anbindung, dieser Austausch umso wichtiger. Denn wenn man in dieser Kultur lebt, dann passiert das automatisch. Das sieht man, wenn man in Mailand, in Paris oder New York ist: Dann ist das Teil der Stadt. Bei uns ist es nicht Teil der Stadt, d. h. man muss anders damit umgehen, was er ja immer gemacht hat.

Bei Adlmüller sind für mich die Intensität seiner individuellen, persönlichen menschlichen Kontakte auffallend und sein konstanter Auftritt im Gesellschaftsleben. Im Gegensatz zu vielen jungen DesignerInnen, die sich teilweise abkapseln. Hier wäre es vielleicht wichtig, dass sich eine größere Offenheit entwickelt, da es in diesem Bereich offensichtlich notwendig ist, am öffentlichen Leben teilzunehmen, um die Connections herzustellen, ein Auftritt auf der Website ist möglicherweise zu wenig. Wie bedeutend siehst du diese Komponente? — All das hängt natürlich auch damit zusammen, dass heute das Modebusiness anders funktioniert: Seit 4 Jahrzehnten beherrscht die Prêt-à-Porter das Modegeschäft, die Leute gehen in Shops, in Stores, kaufen dort ein und kennen den Designer/die Designerin eigentlich nicht mehr. Während zu Adlmüllers Zeit das Kleidungsstück aus seinem Atelier kam, d. h. der Kontakt zum Entwerfer war immer – eben schon beim Kaufen – da. Darüber hinaus ist es natürlich meiner Meinung nach auch ein spezifisches Erfolgsrezept – und das ist natürlich eine sehr persönliche Entscheidung von DesignerInnen und sehr unterschiedlich –, sich gesellschaftlich einzubringen. Er war mit Sicherheit auch ein unglaublicher Gesellschaftsmensch, war immer ›up front‹ mit der High Society.

Es gibt viele DesignerInnen wie etwa Karl Lagerfeld oder Marc Jacobs, die das ebenso machen. Dann gibt es wieder andere, die das überhaupt nicht tun, die das eher vermeiden. Ein gutes Beispiel dafür sind Jil Sander, Helmut Lang oder Raf Simons, die solche öffentliche Inszenierungen ziemlich unerträglich fanden, weil sie sich nicht wohl dabei fühlten. Ich glaube, hier muss jeder seinen Stil entwickeln, aber man darf es nicht unterschätzen, man muss dazu eine Strategie haben, wie man damit umgeht: Entweder man liebt das, lebt und nützt es, wenn man das nicht kann, dann muss man sich überlegen, wie man das ersetzt, wie kommuniziert man mit einem Umfeld? Das kann ja auch durch andere Ebenen stattfinden, dass das Label erlebbar wird. Bei ihm verhält es sich so, dass ›Fred Adlmüller‹ als Modelinie durch Fred Adlmüller selbst erlebbar geworden ist, ebenso wie bei Karl Lagerfeld. Aber dann gibt es eben andere, wie etwa Helmut Lang, da ist das Label erlebbar geworden durch andere Dinge, wie etwa durch den Store, der so präzise war, durch eine Ästhetik, die ständig klar war, durch Beziehungen zu Künstlern, über Projekte, die außerhalb vom Modebereich lagen. Diese Notwendigkeit, mit seinen KundInnen über ein Kleidungsstück hinaus zu kommunizieren, ist extrem wichtig. Und das muss man sich überlegen – kann man das oder nicht, liegt einem das oder nicht, hat man diese Begabung, sich stark sozial einzubringen, oder nicht. Bei Adlmüller war es ganz klar, er hatte diese Begabung, für ihn war das sicherlich ein ganz wesentlicher Erfolgsfaktor.

Aufgrund deiner großen Erfahrungen mit der aktuellen Modeszene – sowohl in der Ausbildung als auch in der Wirtschaft – stellt sich nun, von Adlmüller ausgehend, auch generell gesprochen, die wesentliche Frage nach der Ursache des Erfolgs eines Modedesigners/einer Modedesignerin bzw. eines Labels? — Das ist eine ganz schwierige Frage, die schwerste Frage überhaupt, und es gibt auch keine Antwort darauf. Evident erscheint mir, dass irgendeine Form der Einzigartigkeit, die mit dem Label verbunden ist, das ist, was den Erfolg ausmacht. Das kann oft etwas anderes sein als die Modelinie selbst. Es haben einige Labels Erfolg, wo nicht die Mode selbst so speziell und ›wow‹ ist, aber da gibt es dann andere Faktoren. Wie eben auch eine herausragende Persönlichkeit durchaus diesen Erfolg begründen kann, jemand, der sich extrem gut vernetzt und einbringt und ein starkes soziales Umfeld und Kontakte hat, das kann durchaus ein Punkt sein, der zählt.

Was heute – ebenso wie bei Adlmüller – ausschlaggebend ist, ist die Notwendigkeit , auch einen wirtschaftlichen Background zu haben, eine ökonomische Situation, die eine gewisse Sicherheit gibt und einem erlaubt, seine Karriere aufzubauen. Adlmüller ist in einem bestehenden System groß geworden, das war für ihn sicher sehr hilfreich. Andere haben Beziehungen zur Wirtschaft, zur Industrie, wo es Unterstützungen gibt. Wenn das alles fehlt, wird es wirklich heikel, weil die Modebranche sehr geldintensiv ist, d.h. es muss immer jemand da sein, der mitfinanziert. Auch in dem Sinne, dass auch die finanzierenden Partner an die Sache glauben. Es geht nicht nur darum, Geld zur Verfügung zu stellen, sondern darum, dass es einen Financier (das kann ein Produzent, ein Vertrieb etc. sein) gibt, der an diesen Designer, diese Designerin bzw. dieses Label glaubt und deshalb investiert. Das ist wie ein Investment, wo man sagt: »O.k., das schauen wir uns jetzt an, da investieren wir die nächsten fünf oder zehn Jahre, und dann muss die Sache Geld machen.« Ganz von selbst seinen Weg zu gehen, das ist heute sehr schwer. Es gibt Ausnahmekarrieren, die stattfinden, die nach wie vor stattfinden und Gott sei Dank stattfinden, aber es ist sicher sehr schwierig.

D.h. das ist jetzt eigentlich ein Appell an Förderinstitutionen - wie etwa departure es ja schon praktiziert -, jungen DesignerInnen diese Startbasis zu geben? — Ich gehe sogar noch einen Schritt weiter: Die Förderungen sind nur ein Teil, denn sie ersetzen nicht Strukturen, und die fehlen bei uns sehr stark. Ich weiß ja, dass die meisten darunter leiden, dass sie nicht produzieren können, dass Produktionsnetzwerke fehlen. Das ist absurd, denn ich denke, dass genau dieses Produkt – Mode – nämlich hochwertig, hochqualitativ, teuer, d.h. alles das ist, was wir hier in Europa noch produzieren können. Warum lässt sich das nicht in auch in Österreich produzieren? Das geht in Italien, das geht in Frankreich, das geht selbst in Großbritannien – dort allerdings auch unter Schwierigkeiten –, aber warum es in Österreich nicht geht, das verstehe ich bis heute nicht. Und ich weiß es aus eigener Erfahrung – ich habe drei Jahre lang am Label *SemiDei* mitgearbeitet –, die Antworten, die wir bei unseren Produktionsanfragen immer erhalten haben, waren: »Das zahlt sich erst aus, wenn wir davon tausend Stück produzieren!« Das ist die falsche Antwort: Man hat den Eindruck, als wäre hier die Globalisierung des Marktes völlig verschlafen worden, die Unternehmen/Designer, die tausend Stück von einem Modell produzieren, die sind entweder in Rumänien, in Kroatien oder überhaupt noch weiter weg, aber nicht mehr hier! Wer in solchen Stückzahlen produziert, erwartet sich einen anderen Preis, der geht in den Osten oder in den fernen Osten. Die einzige Chance, um Know-how, Produktions-Technologie und Entwicklungs-Know-how zu erhalten, ist, im Luxus- und im Design-Bereich zu arbeiten. Das haben die Produzenten hier leider nie begriffen, nie, und das ist für mich nach wie vor das Überraschende: Dieses Prinzip, das die italienische Industrie seit 30 Jahren praktiziert, war die einzige Chance, um zu überleben. Und sie überleben ganz gut und haben daraus eine Industrie gemacht, sodass etwa amerikanische Designer in Italien produzieren: Donna Karan, Calvin Klein, Marc Jacobs, sie alle produzieren in Italien, nicht in Amerika. In Italien besteht ein Netzwerk von kleinen Betrieben, die Modelle in kleiner Stückzahl realisieren können in herausragender Qualität und natürlich zu einem teuren Preis. Diese Strukturen ›dahinter‹ sind in Österreich nicht vorhanden, und irgendwann wird dieses Produktions-Know-how einmal ganz verschwinden, weil niemand mehr nachkommt bzw. niemand mehr entsprechend ausgebildet wird.

D.h. der Appell geht an die österreichischen Produzenten, und diese sollen sich erst einmal an den italienischen Produzenten orientieren und deren Modell übernehmen? — Ja, ich sage das seit zehn, fünfzehn Jahren. Das italienische Modell ist ein Vorzeigemodell, das in den 60er, 70er Jahren in Italien so begonnen hat, in den 80er Jahren wirklich perfektioniert worden ist, und seit den 90er Jahren ist die italienische Produktion *die italienische Produktion*: Schuhe und Taschen für Hermès, für Dior und für Yves Saint Laurent werden in Italien hergestellt, nicht in Frankreich, und das sind dort alles keine großen Firmen, keine Riesenbetriebe, die etwa 5.000 Stück produzieren müssen, damit sich das auszahlt. Ich sehe das ja bei Jil Sander: Wir machen von manchen Teilen zehn Kleider oder fünfzehn, und das ist möglich.

Das alles ist deshalb erstaunlich, weil Österreich eine qualitätsmäßig extrem hohe Handwerkstradition aufzuweisen hat, die ja vereinzelt – wie etwa Schuh- oder Taschenmanufakturen – noch vorhanden ist. Aber das von dir Gesagte wäre hier ja ein Anknüpfungspunkt für das gesamte Konzept. — Das ist absolut richtig. Das Gleiche gilt in der Materialproduktion: Heute können all die Hersteller

in Europa nur überleben, wenn sie extrem spezifische Ware her-
stellen und wirklich hervorragend serviceorientiert sind. Denn
ab 5.000 oder 10.000 m Stoff geht man nach China, weil dort ein
anderer Preis erzielt werden kann.

*D.h. aber, dass sich die Modelinien der jungen DesignerInnen letzt-
endlich wieder an einen elitären Kundenkreis wenden, oder glaubst
du, dass diese Exklusivität nur für den Einstieg nötig ist, und ab
dem Moment, ab dem ein bestimmter Bekanntheitsgrad erreicht ist,
auch die Möglichkeit besteht, in größeren Mengen zu produzieren
bzw. ein breiteres Publikum anzusprechen und eine Erweiterung
am großen Markt zu erreichen?* — Ja, grundsätzlich denke ich, man
muss auch da ganz ehrlich sein: Diese Form von Mode ist immer in
irgendeiner Form elitär. Elitär national oder elitär international, aber
sie ist nie für die breite Masse. Das versteht sich in diesem Betrieb
von selbst: Es will auch niemand, dass das Kleid, das er bei Dior
gekauft hat oder das er bei Helmut Lang gekauft hat oder bei Jil
Sander, noch zwanzigtausendmal existiert, sondern es soll etwas
Besonderes sein. Aber diese Demokratisierung, von der du sprichst,
hat ja schon stattgefunden, es gibt ja den Stylemix, es gibt ja
H&M und Zara und GAP, die sehr wohl extrem breite Masse anbieten,
und wir erleben es ja ganz klar wie z.B. bei der Zusammenarbeit von
H&M mit Karl Lagerfeld, H&M mit Viktor & Rolf, H&M jetzt mit Rei
Kawakubo als nächster Coup. Diese Demokratisierung von Zugängen
ist ja vorhanden, aber sie ist ein Teil dieser Wirtschaft, dieser
Industrie. Die Designindustrie und die Prêt-à-Porter werden sich
immer mehr in irgendeiner Form luxuriös und elitär abzeichnen.

    Ich möchte abschließend gerne noch ein persönliches State-
ment abgeben, das einen Teil meiner Ausbildung beleuchtet und
der mir damals und heute ganz wichtig war und ist: Das technische
und handwerkliche Know-how an der ›Angewandten‹, und ich
spreche jetzt ganz klar von Frau Mödler, Frau Friedrich, Frau Pace,
Frau Leh, die dieses Wissen konzentriert weitergegeben haben, wird
in Zukunft verloren gehen. Sie sind durch die Schulen Höchsmann
und Adlmüller gegangen, sie kamen aus Atelierbetrieben und gaben
dieses Wissen an einige Generationen von StudentInnen weiter.
Dieses Know-how geht in Österreich verloren. An der Universität
ebenso wie in den Betrieben. Und das ist irgendwie bitter, weil da
ist etwas, was wirklich ganz, ganz wichtig und zentral ist für junge
DesignerInnen: Sie brauchen jemanden, der ihnen vermittelt, wie

sie ihre Ideen umsetzen können. Und dieses Know-how von Schnitt-technik, von Verarbeitung, Stricktechnologie in allen Varianten ist die treibende Kraft für Innovation. Ohne dieses spezifische Wissen ist Innovation nicht möglich, und das ist es, was jedes Stück von heute braucht. Das war vielleicht für meine Studienzeit einzigartig, mit diesen wissenden Fachkräften zu arbeiten, weil sie haben mir Dinge gezeigt und für uns und mit uns gemacht, die tatsächlich ›Couture‹ waren, das kann man gar nicht anders nennen, das war in der Form, in der es umgesetzt worden ist, Couture. Und Häuser wie – und ich nenne jetzt ganz bewusst Jil Sander–, die so vom Schnitt und so von der Technik leben, von der Innovation leben im Technologiebereich, die pflegen das, die wissen, das ist ihr ›Heritage‹, das sind die Core Values der Firma. Wenn das verloren ginge, dann hätte die Marke ein Problem. Das klingt jetzt fast ein bisschen antiquiert, aber ich glaube, dieses Know-how ist einfach elementar für Innovation – ganz persönlich.

Ich sehe dies jetzt auch als einen abschließenden Appell an die Praxis, an diejenigen Personen, die tatsächlich mit der Materie arbeiten. Ohne den direkten Zugang zur Materie, das technische Know-how, kann die originellste Idee nicht wirklich umgesetzt werden. Das bedeutet, dass auch bei den zukünftigen Besetzungen der Modeklasse auf eine perfekte Kenntnis bezüglich der Fertigung zu achten wäre, da das für die Ausbildung von höchster Relevanz ist.

Andreas Bergbaur, Mag. art., studierte von 1986–1992 an der Modeklasse der Universität für angewandte Kunst Wien unter den Professoren Jean Charles de Castelbajac, Vivien Westwood, Marc Bohan und Helmut Lang. Von 1998–2005 war er Assistent der Modeklasse. Auf Anregung von Annemarie Bönsch unternahm er ab 1999 eine Studie für das Kulturmagistrat der Stadt Wien über junges Wiener Modedesign und war damit maßgeblich an der Gründung von *Unit f – Büro für Mode* sowie an der Idee der *Austrian Fashion Week* beteiligt. Seit 2005 leitet er den Bereich Marketing/Communication für *Jil Sander Worldwide* in Mailand.

Alison J. Clarke

————————————————————

Fashioning Vienna: Professor Fred Adlmüllers Vermächtnis

Seit Adlmüllers Lehrtätigkeit in den 1970er Jahren kann die Wiener Universität für angewandte Kunst eine wahrlich beeindruckende und inspirierende Reihe von Professoren und Professorinnen an ihrer Meisterklasse für Mode vorweisen. Von Karl Lagerfeld (1980–1983) bis zur Belgierin Véronique Branquinho (2005–2009), zeichnet sich Mode an der ›Angewandten‹ durch internationale Ausrichtung und hohe Ambition aus, getragen von der einzigartigen Stellung, die Wien in der Geschichte des Designs einnimmt.

Die Universität (ehemalige Hochschule) für angewandte Kunst selbst entwickelte sich bekanntlich aus dem Bestreben der Wiener Secession, die Hierarchien innerhalb der Künste aufzulösen. Mode war an der ›Angewandten‹ solange kein eigenständiges Fach, bis Professor Eduard Josef Wimmer-Wisgrill (1918–1921; 1925–1955) sie als eigenen Bereich, eines spezifischen Studiums wert, definierte. Einmal etabliert als angewandte Kunstform mit einem gleichwertigen Status wie Architektur oder Malerei, trat Mode bald klar als führende Kraft hervor, Wiens unvergleichbaren Ruf als Stadt der Moderne zu festigen. Österreichs berühmtester Kultur- und Ästhetikkritiker des 20. Jahrhunderts, Adolf Loos, erklärte (inspiriert vom deutschen Soziologen Sombart), dass »moderne bekleidung die moderne struktur des gefühls artikuliert« und sich als solche an den »modernen nerven«[1] ausrichten müsse. In weiterer Konsequenz positionierte er die Mode ins Zentrum der Transformation des modernen Lebens in all ihrer antreibenden und befreienden Kraft, indem er 1908 schrieb:

»Aber in keinem zeitalter waren die menschen so schön, so praktisch und so gut angezogen wie heute. Die vorstellung, am morgen als erstes eine toga um mich zu wickeln und dass diese draperie den ganzen tag um mich herumhinge – den ganzen tag, bitte schön! – in denselben falten, würde genügen, um mich in den selbstmord zu treiben! Ich möchte gehen, gehen, gehen und, wenn ich lust darauf habe, in eine strassenbahn springen, wenn sie vorbeifährt. Die römer sind niemals gegangen. Sie standen herum.«[2]

Loos definierte Mode als ›stil der gegenwart‹ und unterschied dabei zwischen Mode und reiner Bekleidung. Im Gegensatz zu einem fachlichen Elitismus, der traditionell Kunst als das einzig wichtige Ausdrucksmittel der Zivilisation zelebrierte, suggerierte Loos' Modell der kulturellen Evolution, dass sogar das kleinste Modeobjekt die Beschaffenheit einer ganzen Kultur verkörpern kann:

»Selbst wenn nichts mehr als ein knopf einer bestimmten kultur existierte, wäre es für mich möglich, von der form dieses knopfes über die kleidung und tradition der menschen, über ihre sitten und ihre religion, über ihre kunst und ihr intellektuelles leben rück-schlüsse zu ziehen. Wie wichtig ist dieser knopf!«[3]

Wie die richtungweisende Arbeit des Architekturhistorikers Mark Wigley, *White Walls: Designer Dresses* (1995), betont, stand Mode viel mehr an vorderster Linie, als im Hintergrund der Moderne. Noch dazu war es einer der sogenannten Gründerväter moderner Architektur, Adolf Loos, dessen Theorien von Mode und Stil (formu-liert aufgrund von Betrachtungen der Wiener Straßen, Cafés und Treffpunkten der Elite) direkt zum Entstehen der Architektur der Moderne beitrugen. Bezeichnenderweise wurzelte Loos' ästhetische Kritik, einschließlich seines berühmten Aufsatzes *Ornament und Verbrechen* (1908) – einer Abhandlung gegen den übertrieben blumi-gen Stil der Wiener Secession – in fein detaillierten Beobachtungen des Wiener gesellschaftlichen Lebens, welches durch die Nuancen und Hierarchien der getragenen Mode lesbar wird.

Als Fred Adlmüller 1929 dann aus München nach Wien kam, um bei *Ludwig Zwieback & Bruder* zu arbeiten (einem erstklassigen Wiener Modehaus, das hochwertige Konfektionsmode und Einzel-stücke feinster Qualität produzierte), wurde er schnell von Wiens hochtrabendem Stil der Modernität erfasst. Ohne eine formelle Designausbildung genossen zu haben, sollen es Adlmüllers ausge-wählter Geschmack und kultivierte Umgangsformen gewesen sein, die ihn bald an die Spitze der Wiener Modewelt brachten. Sein feines Gefühl für den Geschmack der Kunden und das Gesellschaftsgefüge führte ihn 1949 zur Gründung des erfolgreichen Modehauses *W.F. Adlmüller Ges.m.b.*, wo seine soziale Beobachtungsgabe mit der Liebe zu Textilien, Farben und Strukturen verschmolz. Unter seinen Kunden waren Adelige, Operndiven und prominente zeitgenössische Schauspielerinnen.

Im krassen Gegensatz dazu gestaltete sich fast 25 Jahre später sein Eintritt in die weit weniger glamouröse Szenerie der Meister-klasse für Mode an der Hochschule für angewandte Kunst Wien, wie er von seinem ersten Besuch dort erzählt: »Wenn man die künftigen Modeschöpfer in ihren abgewetzten Jeans rumrennen sieht, bleibt nicht viel Optimismus, dass sie jemals auch nur den Entwurf für eine Schlossermontur an den Kunden verkaufen werden.«[4]

1 | Stewart, Janet: Fashioning Vienna.
Adolf Loos Cultural Criticism. Routledge 2000

2 | Loos, Adolf (1908): Trotzdem,
hgg. v. Adolf Opel. Prachner, Wien 1982. S. 157

3 | Loos, Adolf (1919): Ornament und Verbrechen.
Ausgewählte Aufsätze, hgg. v. Adolf Opel,
übers. v. M. Mitchell. Ariadne Press, CA 1982. S. 155

4 | Schill, Herbert: Fred Adlmüller. Der Schönheit
zu Diensten, Almalthea, Wien-München 1990. S. 95

Ungeachtet des schreienden Kontrasts der ModedesignstudentInnen zu Adlmüllers Welt der Couture, setzte er sich in seiner sechsjährigen Professur derart unbeirrbar für seine jungen Schützlinge ein, als wäre es seine Mission, sie zur wahren, großen Bedeutung der Mode zu bekehren. Als letzter ordentlicher Professor an der ›Angewandten‹ (seit seinem Abschied 1979 wird die Position nur mehr als Gastprofessur vergeben) schaffte er ein unverwechselbar wienerisches und internationales Profil, das zum Vorbild seiner Nachfolger werden sollte. Die Universität für angewandte Kunst zieht seitdem beständig Designer aus dem Spitzenfeld der Modeindustrie an. Es sind Designer, die bereit sind, sich neben den kommerziellen Aspekten auch den konzeptionellen Ansätzen in ihrer Branche zu widmen.

Obwohl manche von Adlmüllers Nachfolgern Textilien vielleicht weniger als die einzige strukturelle Grundlage des Design-Prozesses sahen, waren sie doch alle gleich in ihrem tiefen Verständnis von Mode als zentrale und transformative Facette des modernen Zusammenlebens. Unter solchen Persönlichkeiten befinden sich Karl Lagerfeld (1980–1983); Jil Sander (1983–1985); Jean Charles de Castelbajac (1985–1990 und 1996–1998); Vivienne Westwood (1990–1991); Marc Bohan (1991–1993); Helmut Lang (1993–1996); Viktor & Rolf (1999–2000); Raf Simons (2000–2005) und Véronique Branquinho (2005–2009). In vielerlei Hinsicht kann man diese Abfolge von hervorragenden Modedesignern, die der Universität für angewandte Kunst temporär ihre kreative Vision liehen, als Weiterführung einer Laufbahn von der Wiener Secession über Adolf Loos zu Fred Adlmüller selbst sehen, die Mode – und Wien – immer wieder an die vorderste Front der Moderne geführt hat.

Alison J. Clarke, Univ.-Prof. Dr. phil., graduierte 1990 mit Auszeichnung in Designgeschichte am Royal College of Art in London, erhielt das Smithsonian Fellowship für Geschichte und vollendete ihr Studium in Geschichte und Sozialanthropologie mit einem Doktorat am University College London unter Prof. Daniel Miller. Seit 2003 leitet sie als Professorin das Institut für Geschichte und Theorie des Design an der Universität für angewandte Kunst Wien. Ihre Publikationen behandeln Konsumkultur, Design von Produkten und Mode sowie die Material-Anthropologie des Alltagslebens. Sie ist die Autorin von *Tupperware: The Promise of Plastic in 1950s America* (Smithsonian Institution Press), das im Jahr 2001 als Grundlage für einen Emmy-nominierten Dokumentarfilm diente. Zurzeit ist sie leitende Herausgeberin der internationalen akademischen Publikationsreihe *Home Cultures: Journal of Architecture, Design and Domestic Space*.

Rauchwart
10. 10. 2008:
Aus den
Kollektionen
für das Adlmüller-
Stipendium

Fotografie: Rudi Molacek
in Kooperation mit Wolfgang Zajc

01, 02 | Filia Manikas,
Silk Cut Airlines, 1998/99

03 | Martin Sulzbacher, *down in the park*, 2004/05 (links); Christina Berger, *Du hochlandwilde scheue Maid...
(Die Geierwally vs Liquid Sky)*, 2005/06 (rechts)

04 | Wei Wei Xu,
Gold Pattern, 2006/07

05, 06 | Doris Zaiser,
Finnland Kollektion, 2003/04

07, 08 | Christina Steiner,
kristallin und experimentell, 2007/08

09 | Ute Ploier,
noli me tangere !!!, 2000/01

10 | Christina Steiner, *kristallin und experimentell*, 2007/08 (links und rechts); Ute Ploier, *noli me tangere !!!*, 2000/01 (mitte)

11 | Christiane Gruber, *miss daisy waiting for the night to fall*, 2000/01

12 | Iris Staudecker, *7a+*, 2002/03 (vorne links); Christiane Gruber, *miss daisy waiting for the night to fall*, 2000/01 (vorne mitte u. rechts, hinten links); Ute Ploier, *noli me tangere !!!*, 2000/01 (hinten rechts)

13 | Ute Ploier,
noli me tangere !!!, 2000/01

14 | Christiane Gruber, *miss daisy waiting for the night to fall*, 2000/01

15 | Valerie Lange,
Kinderzeug, 2003/04

16 | Wei Wei Xu,
Das gefährliche Spiel, 2006/07

17 | Astrid Deigner,
urban und wandelbar, 2007/08

18 | Valerie Lange,
Baumgrenze 2142m, 2003/04

19 | Isabelle Steger,
iTrue, 2006/07

02

03

05

10

11

13

14

16

17

Fotografie | Rudi Molacek
in Kooperation mit Wolfgang Zajc
Models | Kerstin, Magdalena,
Marcel, Martina, Patrick – Courtesy
Wiener Models / Andrea Weidler
Styling | Stefan Raab
Makeup / Hair | Thomas Orsolis
Land Rover, Modell Defender |
Land Rover Center Autohaus Strauss
GesmbH, A-7535 St. Michael 240

19

Abkürzungen

Umschlag | Adlmüller-Modelle im
Depot der Kostüm- und Modesammlung,
Universität für angewandte Kunst
Wien, Foto: Rudi Molacek (links);
Valerie Lange, *Baumgrenze 2142 m*,
Foto: Philipp Leo (rechts)

S. 38/39 | W. F. A., Korsagen-Abendkleid
(Detail), kirschroter Seidenrips, Glasperlen, Glasstifte, Strass, Pailletten,
um 1960 (KMS, Inv.Nr. KM 4834)

S. 126/127 | W. F. A., Abendkleid mit
Mantel (Detail), türkiser und hell-
grüner Crepe, Glasperlen, Glasstifte,
Strass, Pailletten, 1970er Jahre
(KMS, Inv.Nr. KM 4840/4841)

S. 160/161 | W. F. A., Abendkleid
(Detail), königsblaue Seide,
changierende Glassteine, 1980er Jahre
(Privatbesitz)

AN	Adlmüllernachlass
Inv. Nr.	Inventarnummer
KMS	Kostüm- und Modesammlung der Universität für angewandte Kunst Wien
MAK	Museum für angewandte Kunst Wien
W. F. A.	Wilhelm Fred Adlmüller
N.N.	Nomen nescio (Name unbekannt)

Bildnachweis

Die Universität für angewandte Kunst ist stets bemüht, sämtliche Rechteinhaber von Abbildungen zu ermitteln. Sollten im vorliegenden Katalog derartige Ansprüche nicht berücksichtigt erscheinen, wird um Kontaktaufnahme gebeten.

Impressum

Die Publikation erscheint innerhalb der Reihe *Edition Angewandte* anlässlich
der Ausstellung *W. F. Adlmüller. Mode — Inszenierungen + Impulse* im Ausstellungs-
zentrum der Universität für angewandte Kunst Wien, 1, Heiligenkreuzer Hof,
Schönlaterngasse 5, 13. März bis 30. April 2009

Veranstalter | Universität für angewandte Kunst Wien (Kostüm- und Modesammlung)
Ausstellungskonzept | Elisabeth Frottier, Checco Sterneck
Kuratorinnen der Ausstellung | Carmen Bock, Doris Drochter, Elisabeth Frottier
Ausstellungsarchitekt | Checco Sterneck

Herausgeber | Elisabeth Frottier, Gerald Bast
Katalogkonzept und -redaktion | Elisabeth Frottier
Grafische Gestaltung | ks_visuell kommunikationsgestaltung, Maximilian Sztatecsny
Bildbearbeitung | pixelstorm
Lekorat deutsch | Sabine Wiesmühler
Übersetzung E–D Beitrag Alison J. Clarke | Peter Blakeney, Christine Schöffler
Druck und Bindearbeiten | Holzhausen Druck & Medien GmbH, 1140 Wien, Austria

Gedruckt mit Unterstützung von *ameea* und *departure*

© 2009 Springer-Verlag/Wien
Printed in Austria
SpringerWienNewYork ist ein Unternehmen von Springer Science + Business Media
springer.at

Gedruckt auf säurefreiem, chlorfrei gebleichtem Papier – TCF

SPIN: 12552290
Mit zahlreichen, großteils farbigen Abbildungen

Bibliografische Information der Deutschen Nationalbibliothek
Die Deutsche Nationalbibliothek verzeichnet diese Publikation in der Deutschen
Nationalbibliografie; detaillierte bibliografische Daten sind im Internet über
http://dnb.d-nb.de abrufbar.

ISSN 1866-248X
ISBN 978-3-211-89039-4 SpringerWienNewYork